沖田 円

怪異相談処
がらくた堂奇譚 2

実業之日本社

実業之日本社文庫

目次

第一話　咎人の室《むろ》

高層ビルの乱立するどこか淫靡《いんび》で蠱惑的《こわくてき》な不夜城。地元にいた頃は東京という都市にそんなイメージを持っていたが、いざ上京してみると、想像していた華やかな土地は存外多くないのだと知った。事実、遊馬悠人《あすまゆうと》が働く店は毎日とんと客が来ず、それどころか店の前を行く人通りすらまばらである。

高校を卒業してから東京に来て、間もなく四年が経《た》とうとしている。その間には賑《にぎ》わう都市部でアルバイトをしていたこともあったが、現在の遊馬は至ってのんびりとした場所で生活している。

東京の、都心部から随分離れた古い地区。地元民憩いのアーケード商店街の裏に、年季の入った昔ながらの商店ばかりが軒を連ねている通りがある。その中でもひと際古ぼけた一軒家で営まれる杠葉《ゆずりは》古物堂が遊馬の職場だ。古い店は、今日も今日とて平和に閑古鳥が鳴いている。

「杠葉さん、掃除終わりましたよ……って、いないし」

ハンディモップ片手に振り向いたカウンターに、声をかけたかった相手の姿はなかった。先ほどまでロッキングチェアに腰掛け、優雅に本を読み耽《ふけ》っていたはずだが、遊馬が隙間の埃取《ほこり》りに夢中になっている間にどこかに移動してしまったようだ。とはいえ居場所はわかっている。遊馬は小さく溜《た》め息を吐《つ》き、物で溢《あふ》れ返った店内を奥に入っていく。

煙管《キセル》、オルゴール、時計、人形。書籍、姿見、モノクロの写真。店に並ぶ商品に統一性はなく、見る人によっては値打ちのない物ばかりが集められていると思うだろう。そのためこの店は近所の人からは『がらくた堂』と呼ばれている。

店舗兼住宅であるこの古民家は、店舗部分と生活区画の区別が曖昧であった。十坪ほどの店の奥から、ひとつ暖簾《のれん》をくぐっただけで、その先は店主兼家主の生活スペースとなっている。が、内玄関とも言える狭い土間のすぐ横、二階へ続く階段をのぼると、家主の私室や書斎に交じり、店に来た客の対応をする応接間が用意されている。

ここまで公私の隔てがない自宅だと、遊馬ならば嫌になってしまいそうだが、この店と家の持ち主である杠葉伊織《いおり》はさして気にしていないようだ。そういう人なのである。この人が興味関心を抱くものは極端に少ない。三十二歳という年齢にそぐわず、杠葉の中身は老木のように達観している。

「紅葉さん」

スニーカーを脱ぎ廊下に上がった遊馬は、左手側にある入り口の珠暖簾《たま》をくぐった。先は床張りのダイニングルームになっており、思ったとおり紅葉はそこにいた。シンプルなシャツとスラックス姿でも十分絵になるほどの美青年は、シンクの前に立ち、好物のコーヒーを淹《い》れ直している。

「遊馬くん、きみの分も淹れてるよ。おやつにしよう」

振り返った紅葉はふわりと笑みを浮かべそう言った。遊馬は肩の力を抜き「はい」と答えるしかなかった。

ダイニングのテーブルに置いてあったタッパーを開ける。中には、料理好きの遊馬が自宅で作って持って来たバナナケーキが入っている。遊馬の得意料理は祖母から教わった和食であるが、最近はお菓子作りにもはまっている。

バナナケーキを皿に取り分け、紅葉の分のフォークを持って店のカウンターへ運んだ。少し待つと、紅葉がコーヒーカップをふたつ持ってやって来る。

平日の昼下がり。紅葉はカウンター内のロッキングチェアを揺らしながら、遊馬はカウンターの外側でスツールに座りながら、コーヒーとバナナケーキをお供にのんびりと休憩をとった。店の中でこんなことができるのは、もちろん他に誰もやって来ないからだ。

「お客さん来ませんねえ」

自作のバナナケーキを頬張り、遊馬はぼやく。視線は開け放った硝子戸《がらすど》の向こうを見ている。

「まあ、いつものことでしょう。それよりも遊馬くん、これ美味《おい》しいね」

杠葉がご機嫌な様子でロッキングチェアを揺らした。それに合わせて首元のループタイも少し揺れた。今日はカーネリアンの飾りを着けている。

「そうですか？　えへへ、バナナが熟しちゃってたから急遽作ったんですけど、お口に合ったならよかったです」

「よくこんなのを作れるね」

「一からなら面倒かもですけど、これはホットケーキミックス使ってるんで簡単なんですよ。便利なんですよね、ホットケーキミックス」

へえ、と杠葉は呟《つぶや》いた。はたしてこの人はホットケーキミックスというものを知っているのだろうか、と遊馬は思ったが、訊《き》かれなかったからこちらも訊かなかった。

遊馬がとある体質を買われて杠葉古物堂で働き出してから、もうすぐ一年になる。

杠葉との付き合いも同じく。摑《つか》みどころのないこの店主について、まだ知らない部分のほうが多いのだろうが、知れたこともいくつかある。

杠葉は自分の好むもの以外への関心がとんとない。そのため淡白な性質にも思えるが、興味を抱いている対象への熱量ならば並ではない。

杠葉の興味を引くものは、この世に四つだけ。コーヒーと、タイと、最近は遊馬の手料理、そして、古物店以外のもうひとつの仕事。

――じりりりりりぃん。

ふいに、カウンターに置かれた黒電話が鳴った。遊馬より、いや杠葉よりも年上のそれは、いまだに現役で活躍中であった。

――じりりりりりぃん。

二度目のベルが鳴る。遊馬は指に付いたバナナケーキのカスを払ってから、三度目が鳴る前に受話器を取った。

「お電話ありがとうございます。杠葉古物堂です」

表情は相手に見えないのに、ついにこりと営業スマイルを浮かべてしまう。

『すみません、品物の買取りをお願いしたいのですが』

電話口から聞こえたのは中年の女性の声だった。丁寧で落ち着いた話し方だが、声の調子にやや硬さを感じる。

「はい、承っております。どういったお品物か伺ってもよろしいですか？」

『あ、アンティークのロッキングチェアです。元々が私の持ち物ではないので、いつ頃の物かはわかりませんが』

「構いませんよ。お客様ご自身で当店にお持ち込みいただくことも、こちらからお伺いすることもできますが」

『えっと、できれば取りに来ていただきたいです』

「かしこまりました。ただ状態によっては買取りができないこともありますので、ご了承いただければと」

少々お待ちくださいと言って、遊馬は住所を訊くためにメモ帳を用意する。

ほんのわずかな沈黙の間に、受話器の向こうの相手は、何かを決心したかのように小さく息を吸った。あの、と声がする。

『そちらのお店は、曰《いわ》くつきの品でも買い取ってくださると聞いたのですが』

遊馬はちらと紅葉を見た。紅葉は静かにコーヒーを飲んでいる。

「ええ。むしろそういった品のほうが歓迎ですが」

紅葉古物堂には、紅葉の祖父である先代店主が趣味で揃《そろ》えた、訳ありの品々ばかりが並んでいた。たとえば霊現象の起きる物、神の宿る物、血塗られた逸話のある物、などなど……その真偽はどうあれ、いわゆるオカルトめいた品が集められているのである。

とはいえ店主の替わった現在はとくにオカルトを売りにしているわけでもなく、一応普通の古物店として普通の品の買取りも受け付けている。だが、悲しいことに、依頼はほぼない。杠葉古物堂に時たまやってくる客も、オカルトを愛しオカルトを求めてやってくる者ばかりであった。

「そちらのお品も？」

奇妙な何かがあるのだろうか。遊馬の問いに『はい』と返事がくる。

『……なので、可能なら早めに来てもらえればと』

「ちなみに、どういった曰くがあるかお聞きしてもいいですか？」

訊《たず》ねると、電話口の相手はやや躊躇《ためら》う時間を置いたのち、答えた。

『人影が、座っていることがあるんです』

人影、と遊馬は繰り返す。

依頼者が最近購入した別荘に、件《くだん》のロッキングチェアはあるという。別荘は前所有者の残した家具付きで、ロッキングチェアもそのうちのひとつであった。家具はすべて品がよく、依頼者はそれらも気に入ったうえで別荘を購入した。しかし、別荘で過ごすようになり数日、奇妙な現象に遭遇するようになった。

黒い、薄ぼんやりとした人影が、ロッキングチェアに座っている。

依頼者はすぐに手放すことを考えたが、下手に処分したら呪われてしまいそうで怖かった。どうするべきか悩んでいたときに杠葉古物堂の存在を知り、連絡したという。

「なるほど……わかりました。では明日伺います」

住所と連絡先を確認し、受話器を置いた。杠葉はバナナケーキの切れ端をフォークで刺していた。遊馬が依頼者の語ったことについて話すと、杠葉は「そう」と呟いた。

「本当っぽい？」

「どうでしょう。人影を見たってだけじゃなんとも」

「そうだね」

「ただ、結構切実な感じは受けました。悩んでいること自体は本当じゃないかな」

こういった話のほとんどは思い過ごしか作り話でしかない。もちろんそれでも買取りはする。この店に時折訪れる物好きな客は、曰くの真偽よりもそれらに込められたロマンを求めているからだ。この店に並ぶ不気味な品々も、実際のところほとんどがなんの変哲もないただの物である。

そうでない物も、稀《まれ》に存在するけれど。

「まあ、もしかすると、『がらくた堂』のほうの仕事になるかもしれないね」

紅葉が綺麗に微笑んだ。遊馬は頷《うなず》いて、ミルクのたっぷり入ったコーヒーを飲んだ。


目的地は鎌倉《かまくら》市。普段の移動は紅葉の愛車である紫のマーチボレロに乗っていくことが多いが、今日はロッキングチェアを引き取ることを考慮し、レンタルした白の軽トラックで依頼者の家に向かっていた。

「紅葉さんって、びっくりするほど軽トラ似合いませんよね」

助手席に座る遊馬は、ハンドルを握る紅葉の横顔に呟く。

「そうかな。僕は軽トラって嫌いじゃないけれど。使い勝手がいいし、フォルムも案外可愛いじゃない」

「や、それはそうですけど。絵面的な話をしてるんですよ。紅葉さんが軽トラを運転してるっていう」

少し長い髪を耳にかけ、皺《しわ》のないシャツとジャケットを着こなし、紺に金糸の混じったネクタイを締めている。そのうえ役者もやれそうな整った顔立ちの青年が軽トラックを颯爽《さっそう》と運転していたら、そりゃ違和感くらいは覚えるだろう。

自分が運転してやりたいが、遊馬は高校卒業前に自動車学校に通ったとき以来、一度も車を運転したことのないペーパードライバーだった。鎌倉どころか近所のスーパーにすら車で行ける自信がない。

「この辺りだよね」

自らが生み出している違和感などわずかも気にしていない杠葉は、赤信号で停車している間に、きょろと付近を見回した。遊馬は慌ててナビゲーションを起動しているスマートフォンに目を落とす。

「そうですね。もうかなり近くに来ているみたいです。青い屋根が目印の一軒家って言ってましたけど」

「あれかな」

杠葉がある一点を指さした。遊馬は釣られるようにそちらを見遣《みや》る。見上げた先の傾斜地に、青い屋根の可愛らしい洋館が建っているのが見える。

「ああ、あれですね」

「そこの坂道から入っていくのかな」

「ですね」

　杠葉は出かけるたびに目に付いた喫茶店に入ってしまう癖があり、そのせいで毎度予定を狂わされる。が、今日はどこにも寄り道しなかったおかげで予定よりも早く到着できた。遊馬はほっとしながらナビゲーションアプリを閉じる。

　途端、杠葉が坂道の手前で左折した。「は？」と遊馬が声を上げたときには、軽トラックは喫茶店の駐車場に入っていた。

「ちょ、ちょっと杠葉さん。目的地は目の前なんですよ」

「場所は確認できたんだから休憩したっていいでしょう。約束の時間よりまだ少し早いし」

「まったくもう……今日は道草食わないと思ってたのに……」

　こうなると杠葉はコーヒーを飲むまで動かない。遊馬は諦めて、さっさと車を降りていた杠葉に続き喫茶店の入り口へ向かった。

　ドアを開けるとカウベルが鳴った。店内にジャズが流れている、昔ながらの趣のある店だった。観光客というよりは地元民向けの店だろうか。

　テーブル席は埋まっていたから、カウンター席に並んで座った。杠葉はブレンドコーヒーを、遊馬はカフェオレを注文する。

「すみません、お訊きしたいのですが」

カウンターの向こうでコーヒーを淹れているマスターに、杠葉が声をかけた。渋い髭面《ひげづら》のマスターは訝《いぶか》しむこともなく「なんでしょう」と返事をする。

「僕たちは、そこの青い屋根に住んでいる者に呼ばれてここまで来まして」

「ああ、最近あの別荘を買われた方ですね」

マスターは依頼者のことを知っているようだ。杠葉は、自分たちは彼女の親戚だと表情ひとつ変えずに騙《かた》った。

「素敵な別荘だから遊びに来いと言われて。これから向かうところなんですが」

「そうなんですか。彼女、著名な小説家さんだそうですね。執筆に最善の環境を探されていてあの家に惚《ほ》れ込んだと伺いました」

「ええ。とくに元々置いてあった家具がとても気に入っているそうで。きっと以前の住人はセンスのいい方だったのだろうと言っていたんですよ」

杠葉が笑みを浮かべると、マスターもわずかも疑っていない様子で柔和ににこりと微笑んだ。

「そうですね。確かにこだわりのある方で、アンティークの品々を海外からよく取り寄せたりもしていました」

「前に住まわれていた方をご存じなんですか？」

「もちろん。うちの常連さんでしたから」

マスターは杠葉と遊馬の前にコーヒーカップを置いた。杠葉が先に口を付ける。表情からして好みの風味だったようだ。

「以前に住んでいた方は、上品な老紳士でしてね。奥さんを亡くされてから東京の家を離れ、こっちで過ごすようにしたそうです。二年ほど前に病気で倒れてしまい、ご長男さんが自宅に連れ帰ったんですが、それから間もなく亡くなったと聞きました」

マスターは少し寂しそうに目を伏せた。老紳士とは十数年の付き合いがあったらしい。青い屋根の別荘は、老紳士が亡くなって一年が過ぎた頃に、長男によって売りに出された。別荘の今後について相談することもできないまま老紳士が亡くなったため、他の身内たちで話し合い決めたことだった。

老紳士が蒐集《しゅうしゅう》していた家具類は、貴重なものばかりだったから、別荘の付加価値として一緒に売ることにしたという。やがて買い手が付き、引っ越してきたのが、遊馬たちの依頼者である鈴鹿佳代子《すずかかよこ》であった。

「では、その老紳士は、ずっとひとりで住まわれていたのですか？」

紅葉が問うと、マスターは首を横に振った。

「ひとりと言えばひとりですが、そうじゃないと言えばそうじゃない」

「どういうことでしょう」

マスターは意味ありげに笑うと、カウンターを出て、店の裏口から外へと向かった。しばらく待っていると、大きな犬を連れて戻ってきた。毛足が長く、目の上の茶色の模様が可愛らしい、優しい顔立ちの犬だ。

「わあ、可愛い！」

遊馬はつい声を上げた。他の客からも同じような声が聞こえてくる。

「あの、撫《な》でてもいいですか」

「ええ。人に撫でられるのが好きな子なんです。ほっぺの辺りをわしわししてやってください」

「こうかな」

言われたとおりに撫でてやる。気持ちがいいのか、犬はアーモンド形の目を細めている。

「うわあ、可愛いなあ。この子、お名前はなんですか？」

「テンといいます。バーニーズ・マウンテン・ドッグという種類で、とても人懐こいんですよ」

「ですね。テンちゃん、もふもふだあ」

テンは周囲の客にも尻尾を振っている。マスターの仕事中はいつも店の裏庭で過ごしている、この喫茶店の看板犬だという。

「もしかして、老紳士と一緒に暮らしていたのはその子でしょうか」

「いいえ、彼の家族だったのはテンの父親です。その子は、彼が病気で倒れる少し前に亡くなってしまって。見た目も性格もうちの子そっくりの、優しくて賢い子でした。あの家の庭で毎日遊んでいましてね、テンも一緒に遊ばせてもらったことがあるんです」

マスターが愛犬を撫でる。テンはより一層尻尾を大きく振る。

「彼は、あの子がいなくなって、気落ちしてしまったんだと思います。あの家を去るまでの数ヶ月、彼はいつもとても寂しそうな顔をしていましたから」

杠葉は「へえ」と呟き、空になったコーヒーカップをソーサーに置いた。遊馬ははっとして、慌てて自分のカフェオレを飲み干した。

マスターにお礼を言い店を出る。軽トラックに乗り込んで、今度こそ、青い屋根の家に続く坂道をのぼっていく。

「その老紳士は、住んでいる間に人影を見なかったんでしょうか」

遊馬は顎に手を当て呟いた。マスターはあの家のことも、前の住人のこともよく知っていたが、奇怪な現象の話は知らないようであった。マスターがあえて話さなかっただけか。老紳士がマスターに話さなかったのか。もしくは、老紳士が住んでいたときには、何も起きてはいなかったのか。

「さあね。行ってみないことにはわからない」

やがて目的の家に辿《たど》り着いた。青い屋根と白壁の、外国に建っているようなお洒落な家だった。敷地は広く、周囲は家の外観と同じ白い塀で囲まれている。奥には芝の生え揃った庭もあるようだ。古くはあるが、手入れがされており雰囲気も明るく、幽霊が出るようなおどろおどろしい感じは受けない。

玄関の手前のスペースに軽トラックを停めた。エンジンを切ったタイミングで家の中から女性が出てきた。身なりのいい、五十代ほどの小柄で小太りな女性だった。

「あ、鈴鹿さんでしょうか。お待たせいたしました、杠葉古物堂です」

「ご足労いただきありがとうございます。鈴鹿佳代子と申します」

車から降りて挨拶した遊馬に、佳代子は丁寧に頭を下げた。

続いて杠葉も車を降り、ドアを閉める。そちらにふと視線を向けた佳代子は「あら」と急に乙女の顔になった。遊馬は思わず苦笑する。

「とりあえず中へどうぞ」

佳代子は遊馬たちを家の中へ招いた。

内装は、外観と同じく洋風で統一されている。床板は傷があるがよく磨かれていて、壁紙には上品な柄が使われている。

廊下から見えるどの部屋も、明るく日差しが入り込んでいた。遊馬たちが通された客間も広々として雰囲気がいい。家具は、老紳士が使っていた物だろうか、建物に合った色調の見事な拵《こしら》えの品ばかりであった。

「遊馬くん、この家は何か臭う？」

茶菓子の用意のため佳代子が席を外したところで、杠葉がぽつりと言った。

「いえ、今のところは何も」

遊馬はぐるりと辺りを見回してから答える。

数分待たされたところで、佳代子が紅茶とケーキを持ってやってきた。テーブルを挟んだ向かいのソファに佳代子が腰掛ける。

「改めまして。杠葉古物堂店主の杠葉と申します」

　紅葉が名刺を差し出した。遊馬もポケットに突っ込んでいた名刺入れを取り出し、佳代子に一枚渡す。

「店員の遊馬です。よろしくお願いします」

「ええ、よろしく……怪異相談処《かいいそうだんどころ》、がらくた堂？」

　名刺を見た佳代子が眉を顰《ひそ》めた。顔を上げ、不審な目で紅葉と遊馬を見つめる。

　ふたりが渡した名刺には『紅葉古物堂』の名のほかに、もうひとつの仕事である『怪異相談処がらくた堂』の名も記されていた。古物堂の名だけが書かれた名刺もあるが、紅葉は今回あえてふたつ書かれたほうを渡していた。

「ええ。僕たちは古物商のほか、あらゆる怪異に悩む方々のご相談にも乗っていますので」

「怪異、ですか？」

「たとえばあなたが現在悩まれているような」

　怪異、などと聞けば大抵の人は訝しむだろう。佳代子も初めこそ同じような反応をしたが、紅葉の言葉で表情を変えた。そう、彼女は今まさしく、目に見えない何かや、見えるけれど説明できない類のもの、人でない存在により引き起こされる事象……つまり怪異と呼ばれるものに遭遇しているのだ。

「おふたりは、霊感があったり、お祓《はら》いをされたりするんでしょうか」

名刺をテーブルに置き、佳代子はおずおずと問う。

杠葉が「いいえ」と首を横に振った。

「僕らには怪異を祓う力があるわけではありません。遊馬くんには怪異に対する特殊な体質がありますが、それも別に怪異に対抗できるようなものではない。特別な知恵や技術は持っていません」

「はあ」

「ただ、僕らは怪異の存在を認知し、他の人よりも少し多くそれらに触れたことがある。なので、怪異に悩まされている方の相談に乗っているのです」

力はないが、力になれることがあれば手を貸す。その姿勢でがらくた堂は営まれている。怪異が絡む事象について、解決できることもあれば、どうにもならないこともある。

怪異に抗《あらが》う術《すべ》を持たない杠葉が怪異相談を始めたのは、遊馬が彼と出会うよりもずっと前のことだ。きっかけは十六年前。当時十六歳だった杠葉の双子の弟が、海神と呼ばれる怪異に連れ去られた。杠葉は、怪異相談を続け怪異の情報を集めることで、弟を連れ去った怪異の行方を――弟の行方を、探し続けているのだ。

「よければ件のお品を見せていただけますか」

紅茶を飲み終えたところで杠葉が言った。

佳代子は遊馬たちをある一室へ案内した。一階の角部屋、広さはさほどなく、入り口の正面に大きな窓が付いている。家具は木製の机がひとつと、背の高い本棚がひとつ。そして窓の手前に、誰も座っていないロッキングチェアがひとつ。

「あの椅子です。その、昨日の電話でもお話ししましたけれど、時々人影があの椅子に座っていることがあって。初めは気のせいだと思おうとしましたが、繰り返し見るものだから、もう私、怖くなってしまって」

本当に恐ろしいのだろう、佳代子は部屋の中に足を踏み入れようともしない。

遊馬たちは許可を得て部屋に入った。床は軋《きし》むこともなく日当たりもいい。怪談には向いていない場所だと遊馬は思う。

「いい椅子だね。マホガニーかな」

杠葉がロッキングチェアに触れた。派手な装飾などないシンプルなデザインの椅子だった。もちろん誰も座っていない。人影も見えない。

遊馬はすんと鼻を鳴らした。何も見えない。何も見えないが。

「杠葉さん」

小声で言うと、杠葉が振り向いた。

「この椅子、少し臭います」

「ふむ……なら本物ということかな」

「はい。でも、まったく嫌な感じはしないです。悪意も害もない気がする」

遊馬は怪異の臭いを感じ取る。遊馬はこれを自分の体質だと考えている。

この特異な体質は、遊馬が人の母と、神と呼ばれる怪異である父との間に生まれた子であることが関係していた。神の子。そう呼ばれれば大層な存在に思えてしまうが、遊馬はこの体質以外は至って普通の人間であった。もうひとつだけ特徴を語るのであれば、怪異に巻き込まれやすい、というのもあるが。

「あの、大丈夫ですか?」

廊下から様子を窺《うかが》っていた佳代子が心配そうに声をかけてきた。

「ええ、今のところは何も」

「お寺で貰《もら》ったお札を貼ったりもしたけれど、まったくなんの効果もなくて」

「そうですか。お札もピンからキリまでありますからね、効くものもあるそうですけれど」

「それで、その、何をしていただけるんでしょう」

不安を声に滲《にじ》ませながら佳代子が言う。

「何もしませんよ」

杠葉が小さな笑みを浮かべ答える。

「あなたの依頼はがらくた堂への怪異相談ではなく、古物堂への椅子の買取りでしたでしょう。ならば僕らはこのまま買い取らせていただくだけです」

「あ、そう、ですか。いえ、こちらとしてはそれで十分ですが。買取りどころか、ただ引き取ってもらえるだけでも」

「いえ、いいお品ですから、相応のお支払いはいたします。手続きを済ませたらこのまま持ち帰りましょう」

杠葉がそう言うと、佳代子はほっとした様子で、力の入っていた肩を沈ませた。

少し疲れたような両の目は、窓辺に佇《たたず》むアンティークの椅子をぼんやりと見つめている。窓の向こうには、陽光に照らされた明るい庭が見えている。

「……私、仕事で小説を書いておりまして、執筆に集中できる落ち着いた環境を求めてこの別荘を買ったんです」

ぽつりと佳代子が口にする。

「家の中で一番に気に入った部屋がここでした。明るくて静かで、広い庭を見渡せるでしょう。私はここを仕事部屋にしようと思っていたんです」

確かにこの部屋は、落ち着くことのできるいい場所だ。窓から眺められる庭は、芝が綺麗に刈り揃えられており、花壇には花も咲いている。広いスペースが柵で囲われているのは、かつての住人がここで犬を放していたからだろうか。これだけの空間があれば大きな犬でも存分に走り回れただろう。

――あの家の庭で毎日遊んでいましてね、うちの子も一緒に遊ばせてもらったことがあるんです。

喫茶店のマスターが言っていたように、犬が弾んで遊ぶ姿が、目に浮かぶ。

「これで、心穏やかにこの部屋を使えるでしょうか」

佳代子が呟いた。

あの、と遊馬は口を開く。だがその続きを言葉にする前に、佳代子の叫び声が轟《とどろ》いた。

目を見開いた佳代子の視線はただ一点を見つめている。

ロッキングチェアに、黒い人影が浮かんでいる。

「ゆ、杠葉さん」

遊馬はぱっと椅子から離れた。

「うん、僕にも見えている。何かまずいもの？」

「いえ……これは、たぶん」

遊馬たちはひとまず部屋を出た。杠葉が腰を抜かした佳代子の介抱をしている間に、遊馬は廊下からじっと人影を見遣った。

黒い靄《もや》が、人の形を取って、ロッキングチェアに座っていた。輪郭から人と思うだけで、その姿が男か女か、年寄りか若者かはわからない。

ただ、その人影は、窓の外を見ているように見えた。遊馬たちを襲うでもなく、気にする素振りすら見せず、じっと、何もいない庭を眺めている。

「ゆ、幽霊なんです。あの椅子に、憑《と》りついているんです」

杠葉にしがみつきながら、佳代子が言う。

幽霊、と、遊馬は佳代子の言葉を繰り返す。

「あの、鈴鹿さん。人影っていつもああやって外を見てますか？」

遊馬が訊ねると、佳代子は青ざめた顔を恐る恐る上げた。

「え、いえ、じっくり見たことなんてないからわからないけど、たぶん」

「人影を見るのっていつも昼間でした？」

「あ、ええ、そういえば」

声を震わせながらも佳代子は答えた。

遊馬は怪異の臭いはわかるが、霊などの類は普段は見ないし触れもしない。にもかかわらずあれは遊馬の目にも……本来怪異を感じ取れないはずの杠葉の目にも見えている。ただの幽霊ではない。この場に強い思いを遺《のこ》し、怪異化した何かだ。けれど悪いものには思えなかった。どうにも他の怪異から感じる不快な臭いとは違うのだ。

「杠葉さん」

遊馬が声をかけると、杠葉は頷いた。遊馬の考えも、人影の正体も理解しているようだった。

杠葉が佳代子の背を起こす。

「鈴鹿さん。少しだけ僕らに時間をいただけませんか」

「え？」

「早くあの椅子を手放したいお気持ちは承知しています。このまま何もせず僕らが持ち帰ることも容易《たやす》い。ただ、うちの遊馬くんが、どうにもあの人影を放っておけないみたいで」

ちらと視線を送られ、遊馬は頭を掻《か》いた。

怖がっている佳代子には申し訳ないが、気づいてしまった以上、このままあのロッキングチェアを……あの人を、この家から離してしまうのは気分がよくない。

「時間って、あの、何もしないいんじゃなかったんですか？」

「そのつもりでしたが」

「すみません！　ちょっとだけでいいんです。状況を悪化させることはありませんから、どうかお願いします」

遊馬は深く頭を下げた。

佳代子は事態を何ひとつ理解していないようであったが、遊馬の勢いに押されたのか、今日中に済ませるならという条件付きで許可を出した。

遊馬は佳代子を杠葉に任せ、急いで家を出て行く。

そして、ある約束を取り付け戻ってきた。人影はまだロッキングチェアに座っていた。やはり、何かを待っているかのように、人影は庭を見ていた。

間もなく、外から犬の鳴き声が聞こえてくる。元気な声は徐々にこちらに近づいてきて、やがて庭に毛足の長い大型犬の姿が見えた。坂の下の喫茶店にいたバーニーズ・マウンテン・ドッグだ。

マスターの持つリードに引かれてやって来たテンは、尻尾をぶんぶんと振りながら、窓際に立つ遊馬を……いや、人影を見た。

「わんっ」

テンが鳴いた。すると、人影がすくりと立ち上がった。

人影は、ゆったりとした歩調で部屋を出て、廊下にいた杠葉と佳代子の脇を通り過ぎ、そのまま玄関のドアをすり抜けていく。

遊馬は急いで追いかけた。人影は庭に入っていく。

「わんっ、わんっ」

「テン、急にどうした」

マスターと共に庭にいたテンは、前足を持ち上げて人影に向かおうとしていた。マスターは愛犬のはしゃぎように驚きながら必死にリードを引っ張っている。人影は見えていないようだ。存在を認知した者にのみ見えるものなのかもしれない。

ならば最初に佳代子が目撃したのは何がきっかけだったのだろう。波長が合ってしまったのだろうか。霊感のない人間が特定の霊だけ見てしまうことは稀にあると聞いたことがある。

きっと、佳代子は繊細で心根の優しい人間なのだ。あの人影と同じように。

「わんっ」

人影はテンのそばにしゃがむと、愛らしい犬を両手で撫でる仕草をした。テンは尻尾を振り回したまま大人しくなり、本当に撫でられているかのようなとろんとした表情を浮かべた。

遊馬はふと建物のほうを見る。先ほどの部屋が窓の向こうに見えていた。この家の中で、庭が一番よく見えるのがあの場所だ。

広く、柵に囲まれ、犬が駆け回って遊ぶのに適したこの庭を、あの部屋から眺められるのだ。佳代子があの部屋を気に入ったように、かつての住人も長い時間をあそこで過ごしていたのだろう。きっと、大切な存在を、ロッキングチェアに座って見つめていたのだ。

「いつもこうしていたんですね」

遊馬は呟いた。

何も見えていないマスターは首を傾げながらも「なんだか彼がいた頃を思い出しますね」と眉尻を下げた。

「わんっ」

声がする。テンが発したものではない。

振り返ると、敷地の外にテンそっくりな犬がお座りしていた。犬はこちらに向かってもう一度鳴く。

人影もゆっくり振り向いた。ほんの数秒、真っ直ぐに見つめ合ったあとで、人影はその犬のほうへと歩いていく。

影は、徐々に姿をひとりの人間のものに変えていった。優しい顔つきの老紳士だった。

老紳士と犬は並び立つと、そのまま同じ速さで歩を進め、道の先に消えていった。彼らがこの家で共に過ごしていた頃のように、一緒に出かけて行ったのだろう。

嬉しそうなひとりと一匹の背を、遊馬は見送った。

「死者は、生前の行いをなぞることがある」

玄関先に出ていた杠葉が呟く。

杠葉の隣にいる佳代子は、顔を強張らせたまま、けれどどこか切なそうにも思える表情で、老紳士と犬が去って行ったほうを見つめている。

「かつてこの家に暮らしていた老紳士は、生前、愛用の椅子に座り犬が外で遊ぶ姿を眺めていたのでしょう。そして犬が呼ぶと散歩に出かけた。そうやって過ごしていた愛すべき日々を忘れられず、死後も思念があの場に残ってしまったのかもしれません」

人影は――老紳士は、もう一度愛犬が庭から自分を呼んでくれるのを待っていた。ならば呼ばれさえすれば思念は反応し、その先の行いをなぞり始めるのではないだろうか。

遊馬は老紳士の思いを遂げさせるため、愛犬にそっくりだというテンをこの家に連れてきた。上手くいくかはわからず、また成功したとして思念がロッキングチェアから離れるとも限らない。ただ、可能性に気づいてしまえば、試さずにはいられなかった。

思惑どおりに老紳士はテンの声に誘われた。そして、おそらくだが、本物の愛犬に導かれていった。

「マスターさん、テンちゃんも、協力してくださってありがとうございます」

遊馬はマスターに頭を下げる。

突然の、理由も上手く語れないお願いであったにもかかわらず、マスターは店をスタッフに任せてテンを連れて来てくれた。遊馬とも佳代子とも旧知の仲ではなく、本来なら頼みを聞く義理もない。「犬を連れて来てくれ」などと言われても普通は怪しんで断るだろうが、そうしなかったのは、テンと共にこの家に来ることに何か感じることでもあったのだろうか。

「ええ……何がなんだかさっぱりわからないけれど、お役に立てたのなら光栄です。それにテンも喜んでいるみたいで。久しぶりにこの家に来られたからかな」

マスターが頭を撫でると、テンは笑っているかのような顔をした。

「テンちゃんって、以前ここに住んでいた人と仲が良かったんですか？」

「そりゃもう。会うたびにさっきみたいにはしゃいでいて……ふふ、さっきのはなんだったんでしょうね。もしかするとこの子には見えていたんでしょうか。彼の姿か、ソラくんの姿が」

マスターが言った。テンはお座りをしながら丸い目で飼い主を見上げていた。

「あの子に似てますね」

ふいの声に振り返る。紅葉と共に佳代子がそばまで来ていた。佳代子はテンをじっと見つめて、ほんのわずかにだが口元を緩ませる。

「こちらのわんちゃんは、この庭が好きなんでしょうか」

「ええ、以前住まわれていた方がうちの常連さんでして、この子はその方の愛犬の息子なんです。なので時々ここにも遊びに来ていまして」

「そう。なら、これからもいつでも遊びに来てください」

「いいんですか？」

「私もわんちゃんは好きですし、このお庭は、大きなわんちゃんが遊び回るためのお庭ですから」

テンが「わんっ」と吠《ほ》えた。言葉を理解しているのだろうか、尻尾がぶんぶんと大きく振られる。

佳代子は目尻に皺を寄せた。今度こそはっきりと、その顔に笑みを浮かべていた。

○

「紅葉さん、そろそろ拗《す》ねるのやめてくださいよ」

いつものようにがらくた堂に客は来ない。暇を持て余した遊馬がせっせと店の商品の配置換えをしている間、紅葉はカウンター内でロッキングチェアを揺らしながらミステリー小説を読んでいる。

「拗ねてなんかないよ」

「拗ねてるじゃないですか。そんなに椅子揺らして」

「ロッキングチェアは揺れるものだよ」

「いつもそんなふうに揺らしてないじゃないですか」

空いた台の上を拭きながら、遊馬はこれ見よがしに溜め息を吐いた。杠葉はつんとした顔をして手元の本に目を落としている。

佳代子からの依頼を済ませたのは数日前。佳代子は初めこそロッキングチェアの買取りを希望していたが、結局取りやめてあの家に残すことにした。

老紳士と愛犬の姿を見て、人影が恐ろしいものではないとわかったからだろうか。はたまた何か感じ入るものでもあったのか。

何にせよ、もうあの椅子から怪異の臭いはしなくなっていたから、人影が現れることはないが。

——やっぱりこれは、この部屋に置いておいてあげたいんです。

佳代子の決断を、杠葉も遊馬も尊重した。むしろそれが一番いいと思った。怪異となっていた思念は消えたが、老紳士と愛犬の思いはあの場に残っているような気がしていたから。青い屋根の静かな家の中こそが、あのマホガニーのロッキングチェアに最も合った場所であると、そう思ったのだ。

しかし杠葉は内心、あの質のいいロッキングチェアを自分の物にしようと考えていたようだ。買い取れなかったことを悔やんでいるらしく、店に戻ってからへそを曲げ続けていた。

元来感情を激しく表に出すことのない性質だから、よくよく観察すると違和感がある、程度の不貞腐《ふてくさ》れ具合であるが。それでも浮世離れした人だと思っていた杠葉の人間臭い部分を見ることができて、遊馬は密かに親しみを感じていた。

「まあ元気出してくださいよ。いいじゃないですか、あるべき場所にあるのが一番なんだから」

「わかってるよ。別に僕は何も言ってない」

「そうですね」

遊馬は小さく笑い、除《よ》けていた商品を台に並べ直した。この品々にもそれぞれ不気味な曰くがあり、中には『呪いの』などという枕詞《まくらことば》が付いている物さえある。けれど何も臭わない。つまりこれらの物に本物の怪異は宿っていない。

「死者は生前の行いをなぞる、か」

怪異の臭いと言っても一様ではない。海の怪異ならば濃厚な潮の臭いが、獣を象っていれば動物のような臭いがする。甘ったるいことも、脳まで刺すような刺激臭もある。共通しているのは、怪異になどかかわらず生きていれば決して嗅ぐことのない臭いだということ。

中でもとりわけ酷い臭いのするものが、人の怨念が創り出した怪異の臭いだった。

人が生み出した呪物や、怨霊が形を成したもの。これは、命を脅かすほどの危険な怪異が発する濃い臭いよりも、ずっと不快な臭気を放っていた。肉体も、魂までもがどろどろと腐りきった存在の、耐え難い腐臭だ。

ロッキングチェアの怪異も人の思念が怪異化したものだった。しかしあれは悪意も悪影響もなく、怨《うら》みも欲も抱いていなかった。生前のなんでもない日々への憧憬がかすかに遺ってしまっただけのものだったからか、嫌な臭いはしなかった。きわめて珍しい例だ。遊馬たちが出会う怪異の多くは、顔を顰《しか》めたくなるほどの、もしくは、息もできなくなるような強烈な悪臭を纏《まと》っている。

「がらくた堂の他の相談も、あんなふうに簡単に解決できるといいんですけどね」

なんとはなしにぼやいた。

そのとき、ジーンズのポケットに入れていたスマートフォンが短く鳴った。取り出して画面を見ると、メッセージアプリの通知が届いている。映し出されている『四《よ》ツ辻《つじ》撫子《なでしこ》』の名に遊馬は胸を躍らせる。

「な、撫子さん。なんだろう」

若くして大学教授を務める才媛であり、且つ美貌の持ち主である撫子は、遊馬にとって憧れの存在であった。

杠葉の古い知人で大の怪異マニアである彼女に、遊馬たちから助言を請うことなら多々あるが、撫子のほうから連絡が来ることは多くない。遊馬はすぐにアプリを開き、撫子からの連絡を読んだ。

『この動画って、本物の怪異が絡んでる？』

撫子から届いたのはその短いメッセージと、何かのURLだった。試しに開いてみると、動画共有サービスに投稿されている動画が表示された。投稿されたのは二週間ほど前で、再生回数はすでに五十万回を超えている。人気の動画のようだ。

タイトルは『呪われる廃村に行ってみた』。内容は、おそらくこのタイトルのそのままだろう。いわゆる心霊スポットと呼ばれる場所に立ち入って、実態を確かめたりスリルを味わったりするのを映したもののようだ。

「撫子さん、なんの用だって？」

杠葉が本から顔を上げていた。遊馬は杠葉にスマートフォンを見せる。

「なんか、この動画に怪異が絡んでるか確かめてほしいって」

「動画？」

「ネットに投稿された動画で、心霊スポットに行ってみたっていう、よくあるっちゃある動画ですね」

ふうん、と杠葉が呟いた。画面に向いた切れ長の目がわずかに細められる。

「呪われた廃村、じゃなくて、呪われる廃村なんだね」

言われて、確かに、と遊馬は思う。心霊スポットならば『呪われた廃村』と呼ぶほうがしっくりくる気がするが。

「撫子さんはなぜその動画を?」

「さあ。理由はとくに書いてなくて……」

「あの人はそういうところがあるよ。とりあえず見てみようか」

「はい」

金庫代わりの古いレジスターにスマートフォンを立てかける。

「でも、確かめるって言っても、画面越しじゃ臭いはわからないんですけど」

音量を上げ、動画の再生ボタンを押した。

動画には、二十代後半と思《おぼ》しき男性がひとり映っていた。自撮りではなく、もう一名、撮影者も同行しているようだ。撮影者の姿は映らないが声からしてこちらも若い男であった。

シーンは深い林の中から始まっていた。かつては人の通る道だったのだろうが、今や獣道のようになっている草木の狭間を、ふたりはゆっくりと奥に向かって歩いている。撮影時は昼間だが、鬱蒼《うっそう》と葉の生い茂った木々の下は薄暗い。

『この辺りに、立ち入ると呪われる廃村があるそうです』

投稿者たちは、詳細な場所は濁し、ここは北関東のとある場所だと言った。昭和三十年頃に廃れた村がこの先にあるという。なんでも、村民が次々と死んでいったことにより廃村に至ったのだとか。

『きっかけはあるひとりの村民による大量殺人。でも、その犯人が死んだあとも、どんどん村人が不可解な死を遂げていったんです。殺された村人の怨念か、はたまた犯人の執念か。何にせよこの村は呪われている。生き残ったわずかな村人たちはそう考え、逃げるようにこの土地を捨てたそうです』

そして村は閉鎖され、立ち入れば呪われると言われるようになった。現在その村は地図からその名が消されてしまったと動画内の男性は語る。

そのとき、急に道の先が開けた。草木ばかりだった画面に、建造物や石垣のような人工物が映った。

『うわ、本当に村があった！』

男性たちの興奮する叫びがスマートフォンのスピーカーから響く。リポーター役の男性が走っていくのをカメラが追いかける。

そこは確かに、かつて人が住んでいた集落のようだった。だが人々が土地を離れ長い年月が経ったのはひと目でわかる。

『おれら、呪われちゃうかなあ』

言葉の内容に反し、リポート役の男性はどこか嬉しそうに言った。

映像は廃村の中を進んでいく。

冒頭の話のとおりならば、村から人がいなくなり約七十年が経っていることになる。人々が生活していたはずの家はほとんどが倒壊し、朽ちた瓦礫《がれき》だけが残されていた。奇跡的に形を保っていても、壁が真緑になるほど苔《こけ》むし、屋根は腐り落ちている。地面は雑草に覆われ、道の脇に造られた石垣だけが、今もまだしっかりと積まれている。

絵面としては薄気味悪さを感じるが、かと言って何かがあるわけでもなかった。村内には惨殺の跡も人骨もなく、わかりやすくお札が大量に貼られた井戸や、怪しげな地蔵もなく、不可解な現象も起こらない。もちろん、撮影者たちの身にも異常は現れず、映像は男性が地味に廃村を散策する様子だけが続いている。

やや退屈になりながらも、ヤラセのない撮影なのだなと遊馬は変に感心していた。

だが、動画が十五分を過ぎたとき。撮影役が崩れかけた家の中にカメラを向けていると、画角の外から声が聞こえた。

『おい、こっちにも道が続いてるみたいだぞ』

カメラがそちらに向けられる。リポート役が手招きしている場所は、ただの草むらのように見えて、確かに道の名残のようなものがあった。

男性たちは道の続くほうへ歩いていく。すると、集落から少し離れた林の中に、一軒の小屋が建っているのを見つけた。村の他の家々とは違い石で造られた建造物だ。一部は崩れてしまっているが、建物としての形はしっかりと残っている。

一緒に映るリポート役の背丈から察するに、さほど大きくはなさそうで、横幅は四メートルほど、高さも他の住居よりは低く造られているようだ。壁は隙間なく積まれた石で構築され、三角の屋根には、いまだ瓦が載っている。

戸だけは朽ち果て、入り口はぽかりと開いていた。中は狭く、人の通れない小さな窓が奥側にひとつあるのみで、内部は随分と暗かった。

『なんだろうな、ここ……』

蔦《つた》の這《は》う外壁に手をかけ、リポート役が中を覗《のぞ》き込む。スマートフォンの灯《あか》りで照らしながら、画面の中の男性は一歩二歩と内部に足を踏み入れる。

「うわっ！」

遊馬は思わず叫んでしまった。

杠葉が眉を顰めてこちらを見る。

「どうしたの？」

「え、どうしたって、こ、これですよ」

遊馬は画面を指さした。

リポート役の男性が、漆黒の影に侵されていた。

建物の内部から湧き出た影は、形を変え、大きくなり、じわりじわりと纏わりついて少しずつリポート役を覆っていた。本人は気づいていないようでその影を気にも留めていない。

だが影は、確実に、リポート役の男性をその身に取り込もうとしている。

「な、なんでしょう、これ」

何かはわからない。ただ、触れてはいけないものだと直感した。これは、紛れもなくよくないものだ。遊馬は堪《たま》らず粟立《あわだ》った自身の腕を撫ぜる。

「遊馬くん、僕には何も見えていない」

杠葉が言った。遊馬は「え」と目を丸くして訊き返す。見えない、けれど、杠葉は遊馬の言葉を疑ってはいないようだった。

むしろ遊馬にだけ見えているからこそ危険なのだと感じている。今この動画に映ったものは、本物の怪異だ。

「く、黒い影、ですよ。こんなにはっきり見えてるのに」

「それは今急に出てきたもの？」

「は、はい。この石の建物の中にいるように見えますけど」

巨大な手が、人間を建物の内部へ引き摺《ず》り込もうとしているかのように、遊馬の目には映っている。

『何もないなあ。ただの倉庫かな』

映像は続いている。影は男性のすべてを覆い隠すと――遊馬の目にはすでに男性の姿は影に隠れて見えていない――やがて、まぼろしのようにさあっと消え失せてしまった。

内部を見終えたリポート役が外に出てきた。黒い影はふたりにも見えていなかったのだろう、とくに気にする素振りは最後までなかった。引き摺り込まれているように見えたが、実際にそうなったわけでもない。

撮影役も立ち入りカメラを向ける。黒い影がふたたび現れ、画面の端で百足《むかで》のように蠢《うごめ》く。

影に気づいたわけではないだろうが、撮影役はすぐに建物から出た。リポート役の言ったとおり、建物の中は何もない、四畳半ほどの広さしかない狭い空間であり、撮るものがなかったからだろう。影以外は遊馬の目に映るものもない。

『というわけで、噂《うわさ》の村は実在しましたが、とくに気になるものもなく、不可解な現象や幽霊の姿も捉えることができませんでした』

集落に戻ったところでリポート役が締めに入った。

『あ、でもカメラのほうには何か映ってるかも。みんなも何か見つけたらコメントしてね』

チャンネル登録と高評価、よろしくお願いします。と笑顔で手を振り、動画は終了した。

流れ始めた広告を止めた。遊馬は一度肩で大きく息を吸い、吐き出した。

スマートフォンを手に取って画面を操作し、このチャンネルの詳細を見てみる。二人組の活動者で、心霊スポットや禁足地、危険な場所などに行っては動画を撮っているようだ。チャンネル登録者数は六万人。今回の動画は同チャンネルの他の動画に比べるとかなり再生回数が多かった。

この動画以降、投稿されているものはない。

「とりあえずおれ、撫子さんに連絡します」

撫子がこの動画を送ってきた経緯は不明だが、怪異が関係していると判明したからには早く知らせるに越したことはない。

遊馬は撫子の連絡先に電話した。

数度コールが鳴り、一度切ろうかと思ったところで呼び出し音が途切れた。

『はいはぁい』

間延びした甘い声が聞こえる。真面目なことを伝えなければいけないのに、つい頬が緩んでしまう。

「あ、撫子さん、遊馬ですけど」

『うん、遊馬くん、こんにちはぁ』

「こ、こんにちは。えっと、今お時間大丈夫ですか？」

『大丈夫だよぉ。遊馬くん、もしかしてもう動画見てくれたの？』

ありがとうねと撫子に言われて、遊馬は「はいっ」と飼い主に褒められた犬のように元気いっぱいに返事をした。撫子の軽やかな笑い声が聞こえる。

「それで、あのですね、結論から言うと、怪異が映っていました」

『あらあ、そうなんだ』

「臭いがわからないから正直なんとも言えないんですけど、なんとなく、かなりやばい奴な気がします」

本来、遊馬は怪異の臭いがわかるだけで、人の目に映らないものを自在に見られるわけではない。だが今回は常人に見えないものを見てしまった。それほど強烈な怪異ということかもしれない。

『そっか、わかったよ。教えてくれてありがとね』

「あの、まさかとは思いますけど、撫子さん、あの廃村に行くつもりじゃないでしょうね」

無類の怪異愛者である撫子ならばあり得ると、遊馬は念のため訊いてみる。

『うふふ。とっても気になるのは確かだけど、今回はやめておくつもり』

「あ、そうですか。よかったぁ」

『実はわたしもこの村のこと詳しく知らないんだけどね、なぁんか嫌な感じがしたから、遊馬くんに確かめてもらったの。予感が当たったみたいだから、深追いはしないでおくよ』

この動画は、撫子の教え子が見つけてきたものらしい。文化人類学者である撫子は、大学教授として学生たちに学問を教えているのだが、講義内容には彼女の趣味嗜好《しこう》が大いに反映され、結果学生たちにも影響してしまっているという。
撫子の教え子にはオカルト好きが多かった。その中のひとりが、話題になってい
たこの動画に興味を持ち、廃村を特定して仲間たちでフィールドワークに行こうと
したようだ。しかし、その相談を受け動画を見た撫子は、何やら不穏なものを感じ
取り、まず遊馬に動画を確認してもらうことにしたのだった。
『だから、学生たちにも行かないように言っておくね』
「はい。本当に、くれぐれも立ち入ったりしないように」
『大丈夫だよ。うちの学生たちは、わたしの言ったことはちゃあんと守るいい子た
ちだからね。ただ』
「ただ?」
『うちの子たちは大丈夫だけど、他の人はどうだろうねえ』
撫子が含みを持たせて呟く。
「それってどういう……」
『これだけ話題になってる動画だよ。うちの子たちみたいに、興味を持って同じと
ころに行こうとする人は、少なからず現れるはずだよね?』
確かに、と遊馬は頷く。

『あの動画ってさ、伊織ちゃんと一緒に見た？』

遊馬はちらと杠葉を見た。杠葉はロッキングチェアの背に凭《もた》れながら、遊馬の話を聞いている。

「はい、杠葉さんも見ましたけど」

『伊織ちゃんは何も気づかなかったでしょ』

「ええ。怪異を見たのはおれだけです。怪異って言っても、真っ黒い影だけでしたけど」

『うふふ、そうでしょう。遊馬くん以外の人たちにはね、あの動画に特別なものはなんにも映っていないように見えてるの。配信者がただ心霊スポットに行って、でも何も起こらなかった、面白いことなんてひとつもない動画ね。それなのに、なんで人気が出たんだと思う？』

そういえばそうだ、と遊馬は思った。本当に何かしら幽霊でも映っていたならともかく、一見して何も起きていない退屈な動画が、なぜ他のものより再生され、話題になっているのだろうか。

『投稿されてすぐはそんなに再生回数は伸びてなかったんだって。でも、動画が投稿された一週間後にね、配信者が体調不良になったからしばらく動画を休むって、

SNSで発表されたの』

撫子が疑問の答えを語る。

『それが、廃村に立ち入った呪いなんじゃないかって話題になってね。噂では体調不良なんて易しいものじゃなくて、結構な重病なんだとか。それで余計に話題を呼んで、あの場所に行ってみようとしてる人がたくさん出てきてるみたいだよ』

「そう、なんですか」

『呪いなんて嘘で、これも演出のひとつって言ってる人もいるそうだけどね。でも、遊馬くんが怪異が絡んでるって言うんなら、本当に、呪われちゃったのかもしれないね』

内容とは裏腹に、撫子はどこか嬉々《きき》とした口調で言った。

ひと言ふた言交わしたあとで、遊馬は撫子との通話を切った。

「撫子さん、なんだって？」

「えっと、それが……」

撫子が話していたことを杠葉に伝えると、「なるほどね」と杠葉は右手の親指を唇に当てながら呟いた。

「撫子さんの言うように、興味本位であの廃村に行こうとする人はたくさんいるし、実際に足を踏み入れる人も出るだろうね。いや、動画が投稿されて三週間経っているなら、もう行っている人がいるかもしれない」

「でも動画内では詳しい場所は出てなかったですよね。目印になるようなものも映ってなかったし」

「それでも特定する人はするよ。投稿者たちだって何かしらの情報を得て行ったんだから、調べる手段はいくらでもある」

そのとおりだ。元々あの廃村に関する噂があり、それをもとに投稿者たちは現地に向かっていた。あの動画以外にも情報は転がっているのだろう。本気で調べようと思えばいずれは答えに行きつくはずだ。

「もちろん、彼らが適当な話をでっちあげて、適当な廃村に行ったら偶然本物を引き当てたって可能性もあるけれどね」

杠葉はそう言って、閉じていた小説をふたたび開いた。

「まあ、誰がどこに行って何をしようと、自己責任でしかない」

古いロッキングチェアを軋《きし》ませ、杠葉は手元の本に視線を落とす。すでにこの話への興味を失っているようだ。

遊馬としても、この件を深追いする気はなかった。知人である撫子やその教え子たちが巻き込まれるのは意地でも止めたいが、赤の他人のすることに自ら足を突っ込むほど出来た人間ではない。

目の前で起きればさすがに気の毒に思うかもしれない。けれど、自分の知り得ないところで起こる出来事に関しては、杠葉の言うとおり、自己責任だと割り切れる。

怪異はどこでも遭遇し得る。そして、ただの人間に対処できる怪異など、ほんのひと握りしか存在しないのだ。

怪異とは得てして、不条理なものなのである。

○

がらくた堂に相談者がやって来たのは、撫子から送られた動画を見てから、ちょうど一週間が経った日だった。

佐々木英二《ささきえいじ》と名乗る大学生とその母親が、連れ立って店へとやって来た。

古物堂の客とがらくた堂の客は雰囲気で区別できる。案の定、店内に入ってくるなり母親のほうが「ここは祓い屋さんと聞いたのですが」と対応した遊馬に言った。

「いいえ。うちはお祓いなどはしていません。ただ、怪異で困っている方のご相談に乗っている怪異相談処です」

「なんでもいいです。お願いします。うちの子の呪いを解いてください」

遊馬の言葉をなかば遮りながら、母親が深く頭を下げた。

その隣で息子は、沈んだ顔をして立ち竦《すく》んでいる。遊馬と同年代のごく普通の青年だ。呪い、と母親は言ったが、ぱっと見たところで変わった様子はない。怪異の影響を受けているならば臭いを感じ取れるはずだが、何か臭うわけでもない。

「あの、頭を上げてください」

母親はこの店のことを勘違いしている。遊馬たちは怪異に関する問題をなんでも解決できるわけではない。

無論、相談を受けるからには可能な限りのことはするが、怪異が相手ではできないことのほうが多いのだ。仮に、本当に呪いを受けているのだとしたらなおさら。そんなものは簡単に解けるものではない。容易に触れられないからこその呪いなのだから。

しかし母親は頑として頭を上げなかった。遊馬が「わかりました」と言うまで動かない気だろうか。どうしようかと思ったところで、店の奥から声がする。

「右腕が動かせないようですが、呪いとはそのことでしょうか」

杠葉がカウンターから出てきていた。なんのことだろうと遊馬が眉を寄せると、息子が自分の左手を右腕に寄せた。なるほど、彼の右腕はだらんと下に垂れたまま、指先ひとつ動いていない。

「そ、そうです。息子の腕を、治してほしいんです」

母親が縋《すが》るように顔を上げた。

杠葉は表情を変えないまま、頷きも、首を横に振りもしない。

「彼の言ったとおり、うちは祓い屋でも拝み屋でもありません。僕らは呪いを解く手段など持ち合わせていない。お力にはなれない可能性が高いですが、それでも構わないのでしたら、お話くらいは伺いましょう」

母親は納得いっていないのだろう、眉間に皺を寄せていた。それでも頼れる場所が他にないのか、渋々と言った様子で頷いた。

ふたりを二階の応接間へ案内する。外観にそぐわない洋風の拵えの部屋の中、杠葉の淹れたコーヒーを置いたテーブルを挟み、ソファに座って向かい合う。

「怪異相談処がらくた堂の杠葉と申します」

「遊馬です」

母親と息子――英二にそれぞれ名刺を渡した。英二はやはり右腕を動かさず、左手だけで受け取った。

「呪い、とおっしゃいましたが」

杠葉が口を開くと、母親がすぐさま「そうです」と返す。

「二週間ほど前に、突然息子の右腕が動かなくなったんです。もちろん病院にも何軒も行きました。でも異常は見当たらず、原因は一切わかりませんでした」

ふむ、と杠葉が呟く。

「原因がわからないだけで呪いと言ってしまうのは、些《いささ》か突飛な考えに思えますが」

「でも、呪いに違いないんです。だって……」

「呪いと言える、心当たりがおありですか？」

杠葉が問うと、母親は口を噤《つぐ》み、ちらと隣にいる英二を見た。

ずっと俯《うつむ》いていた英二が、ようやく遊馬たちと視線を合わせる。

「じ、実は、腕が動かなくなる前の日に、友人たちと肝試しに行ったんです」

英二は細い声で語り始める。

およそ十日前、同じ大学の友人から、心霊スポットに行ってみないかと誘いがあった。話を聞けば、とある動画配信者が呪われたという噂が、ＳＮＳ上で話題になっているという。配信者は『立ち入れば呪われる』と言われている廃村に向かい、実際に呪われてしまった。友人はその件に興味を持ち、自分もその廃村に行ってみようと、一緒に向かってくれる仲間を募っていたところだった。

英二は幽霊や呪いなど信じておらず、とくに興味もなかったが、いつの間にか数に入れられ、友人三人と共にその心霊スポットとやらに行くことになった。

廃村の場所はすでに特定され、ネット上に出回っているようだ。調べればそれらしい住所をすぐに手に入れることができたという。

「それで、遊び半分で行ったんです。群馬の山間《やまあい》のほうでした」

話しながら、英二はふたたび目を伏せていた。

遊馬は、やけに聞き覚えのある内容だなと考えていた。つい数日前に似たような話題に触れた気がする。もちろん杠葉も気づいているだろう。

この若者は、撫子から送られてきたあの動画の廃村に行ったのだ。黒い影の形をした怪異が棲《す》み付いているあの場所に。

「でも、あの、全然、廃村にいる間は何もなかったんです。ちょっと不気味ではあったけど、昼間だったからそんなに怖くもなくて。ちょっとした廃墟《はいきょ》探索くらいの感じで」

弁解でもするように口調を早めて言い、だけど、と英二は続ける。

「次の日、おれの腕が動かなくなって、それで怖くなって一緒に行った奴らに連絡を取ったんです。そしたらひとりだけしか繋がらなくて。おれは何日か経ってから知ったんですけど、残りのふたりは、その……」

そこで口を噤んだ。

英二は左手を膝の上で握り締めている。その拳ははっきりと見て取れるほど震えていた。母親が肩に触れると、顎に皺を寄せ唇を嚙《か》んだ。

「あなたよりも強く呪いを受けていた、と」

黙りこくった英二に代わり、杠葉がそう言った。英二は数秒間を空けてからこくりと頷いた。

「生きては、います。でも、いわゆる、植物状態みたいになってしまって。体も動かせないし、意思の疎通も取れない。おれは腕だけだったけど、ふたりは、全身が動かなくなってました」

英二の目から涙が落ちた。本来右利きなのだろう、左手でぎこちなく涙を拭っている。

「残るひとりは？」

「……そいつは、なんにもなってないです。今も無事みたい」

「廃村では別行動を取りましたか？」

「いえ、基本、みんな一緒でした。別れたりはしなかったと、思います」

「ふうん」と杠葉は呟き、右手の親指を唇に当てた。杠葉が考え込むときにする癖だ。

英二は肩を揺らし、声を殺して泣いている。母親は涙目になりながら息子の背を擦《さす》っている。

「私、英二からこの話を聞いて、お寺や神社も回ったし、有名な霊能者のところにも行きました。でもどこも効果がなくて……もうここしかないんです。お願いします。お金ならいくらでも払いますから」

それほど必死なのか、もしくは同情を誘おうとしているのか、母親は大袈裟な調子で懇願する。

「いえ、うちは相談者さんからお金は貰わないので……」

「お願いします。なんとしてでもうちの子を助けてください」

「あ、いや、えっと」

遊馬はばれないように溜め息を吐いた。

気の毒ではあるが、本来触れずにいられた脅威に自ら足を踏み入れたのだ。自業自得、という言葉が頭に浮かぶ。

とはいえ、やはり目の前で泣かれると、なんとかしてあげたいという思いも湧いてしまった。御剣《みつるぎ》あたりに知られれば、お人好し過ぎるぜと笑われそうだが。

「ねえ遊馬くん、例の動画は見られる？」

つと杠葉に言われ、遊馬は「はい」と慌ててスマートフォンを取り出した。動画共有サービスを開き、先日杠葉と見た動画を表示させようとしたが、なぜか見られなくなっていた。

「あれ、動画消えちゃってるな。なんでだろう」

「英二さん、あなたが行かれた廃村は、このチャンネルで投稿されていたものですか？」

杠葉の目配せに合わせ、英二にチャンネルのホーム画面を見せた。英二は赤くなった目を見開いて、ぶんぶんと首を縦に振る。

「そう、この人たちです。このチャンネルの動画」

「後半にあった、集落から外れた石造りの小さな建物には行きましたか？」

「は、はい。動画を見て知っていたので、行き、ました」

「中には入りました？」

　杠葉の問いに、英二は少し考える間を置いてから答える。

「……そういえば、ふたりは、中に入りました。何も起きていないひとりは、気味が悪いって言って入らなかったような」

「英二さんは？」

「おれは……少しだけ。入り口に足を踏み入れて、でもなんか嫌な感じがしたから、すぐに出たんです」

「なるほど」

　杠葉が呟く。英二はテーブルに片手を突き身を乗り出した。

「まさか、あそこに何かあったんですか？」

「わかりません。僕らも情報を詳しく持っているわけではないので、調べてみないことにはなんとも」

「そう、ですか……」

「ただ、あの建物に何かしら秘められている可能性は高いと考えています。英二さんたちの状況と行動から見ても、あなた方の身に起きた異変は、あの建物に巣食う怪異の影響かもしれない」

「待って」

と言ったのは母親だった。杠葉は言葉を止め母親に目を遣る。

「あなたたち、あの場所が危険だって知ってたってこと？」

母親は杠葉を鋭く睨《にら》みつけていた。杠葉は「ええ」と答える。

「投稿者の身に起きたことの噂と動画の存在でしたら、数日前に知っていました。実際に怪異が絡んでいることも」

「だったらどうしてそれを世間に言わないの？　わかっているのになんで情報が広がっていくのを無視してたの？　注意を促していてくれれば英二があんなところに行くことはなかったのに！」

母親はテーブルを叩いた。口の付けられていないコーヒーがカップから零《こぼ》れそうになった。

「それは僕らの役割ではありませんから」

「役割って、あなた、うちの子のこの状況を見ても何も思わないんですか？」

「何がでしょう」

「だって、うちの子は、あなたが危険だと知っていた場所に行って、実際に酷い目に遭っているんですよ」

「僕らが動画の存在を知ったのは英二さんたちが廃村に行った後です。仮に僕らが何かしら発信していたところで英二さんのことはどうすることもできなかった。それに」

金切り声を上げる母親を前に、杠葉は表情ひとつ変えない。

「本当に何も知らずに連れて行かれたならともかく、廃村が曰くつきであることも、先に立ち入った動画投稿者が呪われた可能性があることも、すべて知ったうえで英二さんは廃村へ向かったんでしょう」

「それは……」

「年端もいかない子どもならともかく、あなたの息子さんはすでに成人しています。すべての行動の責任は本人にしかない。八つ当たりはご遠慮願います」

冷めた口調で杠葉は言い、やはり冷めた視線をすっと英二へと移す。

「呪いを解くという約束はできません。ただこの件についての調査はさせていただきます。少々お時間をください」

母親は身を引いて口を噤んでいた。

英二はぐっと唇を引き結び、頭を下げる。

「よろしく、お願いします」

三日後に来ると言い残し、英二たち親子はがらくた堂を後にした。

店先まで見送った遊馬は、ふたりの姿が遠退《とおの》いたところで肩から大きく息を吐いた。

英二はともかく、母親のほうは随分気疲れする相手だった。息子を思っての言動だろうが、紅葉の言ったように、それをこちらにぶつけられてもどうしようもない。

ああいう手合いは少なくないが、いまだ対応に慣れず、身を固くしてしまう。

「おれも紅葉さんみたいに冷静に対処するか、スルーできるようにしないとなあ」

独り言をぼやきながら店内に戻ると、紅葉がコーヒーを持って奥から出てきたところだった。カウンターに入りロッキングチェアに腰掛け、紅葉はお気に入りの豆で淹れたコーヒーに口を付ける。

「紅葉さん、一服ですか」

彼らが次に来るのは三日後。調査時間はあまりないというのに、自分のペースを崩そうとしないのはなんとも紅葉らしい。

「できることはどうせ限られているからね。遊馬くん、さっき聞いた住所のあたりを衛星写真で見られる？」

遊馬は「はいはい」とスマートフォンを取り出した。英二から聞いた大まかな住所を地図アプリで検索し、その付近をスクロールしながら探すと、深い林の合間に例の廃村らしき場所を見つけられた。

だが地図上に村の名前は表示されない。ネットで住所を検索してみても、今回の動画にかかわる、心霊スポットとしての情報しか出てこなかった。村の名もいくつか挙がっているが、どれも憶測の域を出ない。

「地図から消された村か」

杠葉が言った。

「……やっぱり、おれたちも現地に行ってみるしかないですかね？」

「そうなるかもしれないけど、もう少し外堀を埋めてからにしようか。遊馬くん、古い地図帳を持ってきてくれる？　昭和初期以前の地図が載っているものを」

「了解です」

遊馬は二階へ行き、応接間の隣にある書斎に向かった。この部屋は壁一面に本棚が造り付けられており、隙間なくぎっしりと書籍が収納されている。遊馬は、いつか本の重さで床が抜けてしまうのではないかと心配しているが、今のところなんとか耐えている。

本棚には、オカルト好きだったという杠葉の祖父が集めた怪異に関する書物のほか、歴史書に心理学、生物学、天文学など様々なジャンルの本がごった煮になって詰め込まれていた。その中から地理の本を探し出し、紙が茶色く変色している当時のものと、古地図を解説している現代の本とを選んで下に戻る。

「杠葉さん、これでいいですか？　昭和と、明治くらいの、関東の地図です」

「うん、それでいいよ。ありがとう」

本を渡すと、杠葉はまず古いほうを手に取った。傷みきったページが破れてしまわないように丁寧に紙を捲《めく》っていく。

「そうだ。遊馬くんは御剣くんに連絡を取っておいてくれないかな」

「御剣さんにですか？」

「あの動画の投稿者のことを訊いてくれる？　彼なら何か知ってると思うから」

御剣日架《にちか》は、遊馬たちの顔見知りであるオカルト情報専門のフリーライターだ。撫子のように古今東西の怪異に精通しているというわけではないが、最近流行している話題については誰よりも耳が早い。御剣ならば件の動画のことを知っているだろうし、それに関する世間に出ていない情報も摑んでいるかもしれない。

遊馬は早速スマートフォンを操作し、御剣に電話を掛けた。呼び出し音が鳴り続ける。御剣はいつも電話に出るのが遅い。

「あ、そういえば、英二さんから怪異の臭いがしなかったんですよね」

電話が繋がるのを待つ間に、ふと思い出し杠葉に伝えた。杠葉が見ていた本から視線を上げる。

「どう思います？　おれは、英二さんの右腕も、友人たちの症状も、怪異の影響だと思ってはいるんですけど」

「僕もだよ。でも、それなら英二さんから臭いがするはずだよね」

「そうなんですよね。なら英二さんの腕は怪異と関係ないのかな」

「もしくは……」

と杠葉が言ったところで長いコールが途切れた。

『はいよぉ』

スマートフォンのスピーカーから御剣の気怠げな声が聞こえてくる。

「御剣さん、こんにちは。遊馬です」

『おお、遊馬チャン。なんか用か』

「お忙しいところすみません。ちょっと訊きたいことがあるんですけど」

まず動画ことを知っているか訊ねれば、当然のように御剣は承知していた。やはりオカルト界隈ではすでに知れ渡っていることのようだ。

体調不良で活動を休止している動画投稿者についても、詳細を知っていた。こちらは周知されていることではなく、御剣が独自で密かに情報を得たものだった。

『動画投稿者はふたりいた。カメラを持って撮影してたほうは下半身不随。そんで、動画に映ってたほうの男は、完全に寝たきりで体のどこも動かせねえ。口も目ん玉も動かねえから意思の疎通も一切できねえ状態だと』

「寝たきり、ですか」

英二の友人たちの状態と同じだ。全身が動かなくなったと言っていた。

『だがこれがどうも奇妙でな。病院で検査しても、神経にも筋肉にも骨にも異常は見当たんねえそうだ。だからどうしようもねえ。怖《こえ》ぇのは、寝たきりのほう、検査上では意識がはっきりしてんだと。つまり体が自分の意思で動かせねえだけで、脳は正常に働いてんだよ』

「脳が正常……ってことは、植物状態とは違うってことですか？」

『そうだよ。まあ、これが怪異によるものなら人の理《ことわり》なんて関係ねえ。検査結果に異常がないとしても、本人の意識が体の中にあるとは限らねえだろうがよ』

遊馬はごくりと唾を飲んだ。

動画の内容を思い出す。リポート役のほうは、石造りの建物の内部に長くいて、漆黒の影に全身を包まれていた。撮影役のほうは姿が映っていないからわからないが、リポート役に比べると短時間で外に出てきた。おそらく、全身までは影に覆われていない。

英二たちもそうだろう。ふたりの友人は全身を影に覆われた。少しだけ中に足を踏み入れた英二は、右腕のみが黒い影に――怪異に囚《とら》われてしまったのだ。

やはり英二の腕も怪異の影響によるもの。しかし、臭いはもうしていない。なぜだろうか。怪異の目的はなんなのだろうか。人の身の自由を奪う、怪異の正体は、なんなんだ。

「あの、御剣さん、廃村についてはどの程度知ってます？」

『ああ、動画内で言ってたとおり、太量殺人があって、そのあと疫病が流行ったらしいが、おれはそこまで調べてねえからあんま知らねえんだよ』

「そうですか……」

あからさまに語調を弱めた遊馬を、御剣が鼻で笑う。

『やけに熱心じゃねえか。がらくた堂に依頼でも入ったか？』

「ええ、まあ。ちょっと調べなきゃいけなくなりまして」

『そうかよ。まあ気ぃ付けな。この案件はなかなかやべえ気がすんだよ』

「わかってますよ」

遊馬は唇を尖《とが》らせる。

「でも御剣さん、意外ですね」

『何が』

「だって、おれを熱心だって言ったけど、御剣さんは逆になんか冷めてるなって」

仕事になりそうなことならとことん追いかけネタを掴みに行く人だ。そのせいで日ごろ杠葉に鬱陶しがられているほどだから、今回の件も、御剣ならもっと掘り下げているものと思っていたのだが。

『当然だろうがよ。意外でもなんでもねえよ。もうとっくに話題になってることをわざわざ記事にしてどうすんだっての。んなもんに飛び付くのはおれのポリシーに反するんだよ』

御剣が呆《あき》れた調子で言う。

『プロってのはなあ、誰も知らねえことを最初に世に出してこそだろうが』

「な、なるほど」

『一応少しは調べたけどな、他のライターだけじゃなく、素人まで何人も首突っ込んでたし、おれは早々に手を引いたってわけ』

見えないのに、御剣がひらひらと手を振っている姿が目に浮かぶ。

『あ、でもなんかわかったら教えてくれ』

ちゃっかり言う御剣に遊馬は思わず笑った。「杠葉さんの許可が出れば」と答えると、御剣は手本のような舌打ちをした。

通話を切る。杠葉は本から顔を上げている。

「どうだって？」

「動画投稿者も、下半身不随と、もうひとりは全身が動かせなくて意思の疎通が取れなくなってるそうです」

「リポート役のほうが重症？」

「そうみたいです」

訊くまでもなくわかっていたかのような顔で、ふうん、と杠葉は呟いた。

「こっちも見つけたよ。あの村の名前だ」

杠葉は見ていた本をカウンターの上に置いた。開かれているのはとある地域の古い地形図だった。

杠葉は、開いたページの一点を指さす。

黄ばんだ紙に書かれた等高線の合間に、手書きの文字が記されている。

「……のあし？　のそく？　ですか？」

「野足村《のたり》と読むそうだよ」

本には地名の索引も載っている。ノタリ、と確かに書かれている。それが、例の廃村がある地域を指した名であるようだ。

遊馬はスマートフォンで野足村について検索してみた。しかしそれらしい情報は何ひとつ出てこない。

「妙ですね。昭和初期までは存在していた地名なんだから、少しくらい引っかかってもよさそうなのに」

「意図的に情報が消されているのかもしれないね」

紅葉はそう言って、数年前に発行された新しいほうの本を手に取った。こちらは、もう一冊の本と同じ時期の古地図が掲載され、解説されている書籍である。

野足村のある地域の地図が載ったページを開く。一見して、古書と同じ内容であるが、『野足村』の文字がどこを捜しても見当たらない。

消されているのだ。過去の資料から、村の名が消されて、隠されている。

「紅葉さん……これ、現在の地図に名前が載ってないってのとは全然意味が違ってきますよ」

遊馬は眉を寄せながら杠葉を見た。杠葉が頷く。

「うん。何かしらよからぬことがある場所っていうのは間違いないみたいだ」

「もしかして、動画が見られなくなってたのも」

「関係者が消した可能性ももちろんあるけれど、情報が拡散されないために消去されたってことも考え得るね」

「そんなことって……」

意図的に情報が消されている、と杠葉は言ったが……一体何が起きればそれほどの事態になるのだろうか。

大量殺人が起きた地として忌み嫌われたのか。本当に疫病が流行っていたとして、病原菌を外に出さないために村を封鎖したのだろうか。

だがどちらも、わざわざ執拗《しつよう》に村の名が隠されるほどのこととは思えない。

ならばやはり、あの地に巣食う怪異が理由か。

――立ち入ると呪われる廃村。

非科学的な戯言《たわごと》などではなく、呪いが実在すると公的に認められ、廃村ごと隠し封じられた。

人が立ち入らないようにすることでしか、怪異への対処法が見つけられなかったのだとしたら。

「……これ、おれたちにもどうしようもないんじゃないですか？」

遊馬が恐る恐る言うと、杠葉はふっと笑った。

「そうみたいだね」

「でも、英二さんたちにはどう言いましょう。無理そうですって報告して納得してもらえますかね？」

「英二さんはともかく、お母さんのほうは難しいんじゃないかな」

「ですよね」

「あの人たちとしては怪異をどうこうする方法じゃなく、呪いを解く方法を見つけてほしいわけだし。そこの情報を掴まないとね」

「確かに」

だが、村に関する情報が消されているとなると調べるだけでも骨が折れる。公的機関やインターネットなど、検閲される可能性のある場所は使えないと考えていいだろう。

頼れるのは私的に保存された資料と、物好きな人の知識と……己の経験。

「まあ、そもそも呪いを解く方法なんてものが本当にあるかはわからないけれど」

杠葉が言った。眉を顰める遊馬を見ながら、杠葉はカップに残っていたコーヒーを飲み干した。

○

『野足村ねえ。なぁんか聞いたことある気がするなぁ』

杠葉の運転するボレロの助手席で、遊馬は撫子に電話を掛けていた。電波の向こうの撫子は『なんだったかなあ』と唸《うな》っている。

「撫子さんでもはっきりとはわからないんですか」

『そうだねえ、ぱっとは思い浮かばないんだけど。あ、待って、そこって確か、禁足地にされてる場所だったような気がする』

「禁足地？　って、もしかして神がかかわってるとか？」

『そういうのじゃなかったと思うんだけどねえ。ちょっと思い出せないから、詳しいお友達に訊いてみるよ。禁足地マニアの子がいるから、その子なら知ってると思うんだ』

「は、はい、よろしくお願いします」

世の中にはいろんな人がいるのだなと遊馬は思ったが、口にはしなかった。

撫子が「うふふ」と涼風のような声で笑う。

『ねえ、その村ってもしかして、前に遊馬くんに見てもらった動画の村？』

「あ、そうなんです。偶然がらくた堂に関連の依頼が入りまして」

『あらあ。遊びに行って呪われちゃった人でもいるのかな』

「ええ、実はそのとおりでして……」

今ちょうど現地に向かっているところなんですよ、と言うと、撫子は『えっ』と声を上げた。

『行ってるの？　なんで誘ってくれなかったの？』

「いや、まあ、おれたちへの依頼なので、撫子さんのお手を煩わせるわけには」

『わたしなら喜んで行くことわかってるくせにぃ！』

「あの、すみません……」

もちろんわかっていたが「あの人にばれると来ようとするし、あの人が来ると騒がしいうえに早く帰れないから」と杠葉に言われ声をかけなかったことは撫子には秘密だ。

「でも撫子さん、前にこの村には行かないって言ってたじゃないですか」

『遊馬くんたちが行くならわたしも行くよ』

「あ、でもおれたちもう群馬に入っちゃってるので」

『ええ、そうなの？　もお、帰ってきたらちゃんとお話聞かせてね？』

「了解です」

　通話を終え、遊馬は車窓を眺める。

　群馬県西部の深い山間。紫のボレロは先ほどから、山中のうねった道を走り続けている。すでに目的地にほど近い場所まで来ており、道を間違えてさえいなければ、この一本道を行った先に件の廃村はあるはずだった。

「撫子さん、禁足地と言っていたね」

　対向車とすれ違うことのできない道を——対向車も後続車もとても来そうにないが——澄ました顔で運転しながら杠葉が言う。

「はい。でも詳細はわからないから詳しい友達に訊いてみるって言ってました」

「そう。あの人の友人なら知っている人がいるかもね」

　電話を切ってから十分ほど経って、杠葉が車を停めた。目的地はまだ先だが、車が通れるのはここまでだった。

ボレロを置いて、その先へは徒歩で向かう。深い木々の合間に道のようなものはあったが、舗装まではされていない。

遊馬は前を行く杠葉をちらと見た。いつもどおりのジャケットとスラックスに、リボンタイを締め、革靴を履いている杠葉は、山の中という情景があまりにも似合わない。

「杠葉さん、山を舐《な》めきっていますね」

しっかり準備してくるほどの山道ではないが、だとしても杠葉の服装はおおよそこのような場所へ来る恰好《かっこう》ではなかった。

「というか、そんな服で来て汚したらどうするんです。もったいないでしょう」

「だって僕はこれしか持っていないもの」

「今度ジャージ買いに行きましょう。おれが見繕ってあげますから」

「ありがとう。よろしく頼むよ」

おそらく皮肉ではなく本心でそう言っているのだろう。遊馬は杠葉の背後でこっそり溜め息を吐いた。

林の中は異様に静かだった。土を踏む音が妙に目立って聞こえていた。空気は冷たい。寒いと言えるほどではないのに、肌がぞわりと粟立っている。

革靴で、けれど杠葉は存外軽やかに道を進んでいた。黙々とあとを追っていると、ふと杠葉が口を開いた。

「見て、遊馬くん」

足を止め、杠葉は道の脇を指さした。野草に覆われたその場所を見ると、縄のようなものが落ちている。周囲には、朽ちかけた杭《くい》が立っており、やはり縄が結び付けられている。

「これ、人が立ち入らないように張られていたものでしょうか」

「うん、それに」

杠葉が縄を拾い上げた。土に塗《まみ》れた縄には、白かったであろう破れた紙がいくつか括《くく》り付けられている。

「紙垂《しで》だね」

「しで？　って、神社のしめ縄とかにぶら下がってるやつですか」

「神域を示すものでもあるけれど、邪悪なものを寄せ付けない魔除けの意味もある。これは、魔を外に出さないためのもの、ってところかな」

「……この縄、自然に切れていませんね。刃物で切られてるみたいだ」

「遊び半分で訪れた誰かが切ったんだろう」

紅葉は縄を地面に戻した。そして前方を向く。

鬱蒼と木々の茂っていた視界が開けていた。遊馬たちの眼前に、動画で見たのと同じ、廃村の入り口が見えていた。

「行こうか」

石の積まれたわずかな階段をのぼり、村に足を踏み入れる。

途端、遊馬は強烈な腐臭を嗅いだ。

咄嗟《とっさ》に鼻を押さえる。込み上げる吐き気を堪《こら》え、唾を三度飲み込む。

「遊馬くん、大丈夫？」

「な、なんとか。とりあえず臭いだけなので」

危険なのは石造りの建物のみかと思っていたが、村全体に怪異の臭いが充満しているようだ。神や物の怪とは違う、いかにも人間の生み出す臭い。

一体ここで、過去に何があったのだろう。

「進みましょう」

鼻で呼吸しないようにしながら奥へ足を進める。

村の様子は動画と同じ、ほとんどの家屋がすでに倒壊し、形の残った一部も大半が崩れかけ自然に飲まれてしまっている。かつて畑でもあったのだろう場所も荒れ果て、無造作に草の生い茂る土地が続いていた。人が住んでいた頃を想像するのが難しいほどの有様だ。

生き物の気配は一切ない。山深い所であるのに、鳥の声も、虫の鳴き声すら聞こえない。

薄ら寒い温度だが、額には汗を掻いていた。べとりとしたそれを遊馬は手の甲で拭った。

隣を行く杠葉は、いつもどおりの澄ました表情で、街中でも歩いているかのように淡々と廃村を進んでいる。

「村の中、見て回らないんですか？」

杠葉は村の痕跡を素通りしていた。形の残る家々も覗こうとせず、立ち止まりもしない。

「とくに見るべきものがないことは動画でわかっているから。廃村全体が臭っているなら遊馬くんの体質を当てにすることもできないでしょう」

「そう、ですね。正直何かあってもわかんない気がします」

「うん。それにここにはあまり長居しないほうがよさそうだ」

杠葉が向かっているのは、村の端にある石造りの建物だった。存外広い集落を奥へ行くと、動画の内容と同じく、一見ただの草むらに見えるところに、かつては道だったのだろう痕跡を見つけられた。

腰の丈まである草を払いながら進むと、集落から外れた林の中に、村内の他の建物とは違う、石を積んで造られた建造物が見えてきた。造りはシンプルでさほど大きさはない。住居として使っていたわけではないだろう。

こちら側に窓はなく、戸が朽ちて開放された小さな入り口がひとつ、ぽかりと昏《くら》く空いている。

「貯蔵庫か何かとして使っていたのかな」

杠葉が建物へ向かっていく。一歩、二歩、足を進め……建物まであと五メートルほどまで近づいたところで。

「……遊馬くん？」

遊馬は杠葉の腕を摑んだ。

杠葉が振り返るのと同時に遊馬は両膝を地面に突く。堪える間もなくその場に嘔《おう》吐《と》した。杠葉がしゃがみ、えずく遊馬の背をさする。

遊馬は咳き込んで胃液を吐きながらも、涙の滲む目で懸命に杠葉を見上げた。

「杠葉、さん……絶対、ここから、もう一歩も進んじゃ駄目です」

近づいてはいけない。あの建物に。

これ以上踏み出せば囚われる。

建物に、いや、この村に巣食う、怪異に。

「大きく、なってる」

動画内でも、英二の話でも、怪異は建物の内部に入った人間のみに干渉していた。

しかし今遊馬の目に見えている怪異は——漆黒の影は……外に出ていた。

小さな入り口から溢れ出るように蠢く手を伸ばし、土を掻き、草を分け、ここにいる遊馬たちを探している。

自らの領域内に遊馬たちが足を踏み入れるのを待っているのだろう。あと、たった一歩踏み出せば、この身は影に捕まる。そうなれば、呪いを受けた他の者たちと同じ運命を辿ることになる。

「わかった」

紅葉は言い、遊馬を支えて少しずつ後ずさった。遊馬は酸っぱい唾液を飲み込み口元を拭う。

目頭から涙を落としながら、遠ざかった石造りの建物を見た。蠢く影は少しずつ内部へ戻っていく。

――ぐちゃり。ぼきり。

音がする。

――ぐちゃ。ぐちゃ。ぼり。ぶちり。ぼり。ぼり。ぐちゃり。

なんの、音だろう。この音は……。

「何か、食べてる」

呟いた。

杠葉が遊馬の肩を抱く。

「戻ろう。もう十分だ」

遊馬は黙って頷いた。自分にできることなど何もないと実感した。

あの怪異は元は人だ。人の思念は時として、神よりも恐ろしい、怪物となる。

○

翌日、撫子に呼び出され、彼女の職場である央山《おうざん》大学の研究室に杠葉と共に向かった。

知人から野足村の情報を得た撫子は、あの村でかつてあったことを杠葉と遊馬に語って聞かせた。

「昭和三十年頃、あの村ではね、度々行方不明者が出ていたんだって。村民だったり、時には外からやって来た人だったりもした。理由はわからないまま、行方不明者の数が十を超えたところで、それがあるひとりの男によって起こされた事件だと判明したの」

撫子は柔らかな髪を下ろし、女性らしい体つきの目立つブラウスとロングスカートを纏っている。魅惑的な容姿の彼女が、穏やかに微笑みながら語るのは、あまりにもおどろおどろしい過去の出来事であった。

「その男はね、野足村の村民だった。ごくごく普通に村で暮らしていたんだけど、他の誰にも秘密にしていたとある特殊な嗜好を持っていたの。それが、人を食べること」

赤い紅の引かれた唇が綺麗な弧を描く。

「男は村民や旅人をこっそり殺して食べていたんだね。男に捕まった人が命からがら逃げだしたことでそれが明るみに出たみたい。でもね、村民たちは男の残酷な行為を知って、憎しみと恐れを抱くあまり、警察に突き出すことをしなかった。男を集落の外れにある使っていない貯蔵庫に閉じ込めて、水も食べ物も一切与えずに、殺したの」

男も行方不明者のひとりと思わせて、事件の真相も犯人の正体も外部に知られないようにした。

身内を殺された恨みもあっただろう。法などではなく自らの手で裁きたいという思いもあったかもしれない。だがそれ以上に、人喰いという凄惨で残虐な行為がこの村で行われたということを、世間から隠したかったのではないだろうか。

鬼が出た、と誰かが語っていたという。村民たちは、犯人を人知れず殺すことで、この村に生まれてしまった鬼を……村の穢《けが》れを、隠そうとしたのだ。

「男の死体は惨憺《さんたん》たるものだったそうだよ。男はね、脱水で死んだわけでも餓死したわけでもないの。彼は、自分の体を食べていたのね。どんな理由で彼が自身を食べたかはともかく、遺体は腕に足、腹まで肉が抉《えぐ》られていた。遺体はそのまま林の奥に埋められたんだって。村民たちは、地獄のような光景を見たけれど、これでもう村に悲劇が起きることはないと安心しただろうね。でもね、男が死んでから間もなく、村民に奇妙な病が流行り始めた」

撫子はそこでタブレットを操作し、遊馬と杠葉に画像を見せた。古い新聞記事のスクラップを取り込んだものだ。変色した新聞には『奇病患者相次ぐ』と見出しが出ている。

撫子が画面をスライドさせると別の画像が映った。奇病に罹《かか》った患者の実際の写真だろうか、布団に横になり、虚《うつ》ろな目をただ天井に向けている青年が写っている。

「野足村でのみ流行ったこの病気はね、急に手足が麻痺して、次第に全身が一切動かせなくなっていく恐ろしいものだった。原因も治療法もわからない。時代が時代だし僻地《へきち》だからね、最終的に患者は栄養が摂《と》れなくて、餓死したり感染症で死んでいったの」

可哀想にね、と撫子は微笑んだ表情のままで言う。

野足村の住民を襲ったのは、現代でかの地に足を踏み入れた者たちと同じ現象だった。体の自由が奪われる……体が、自分のものではなくなる呪い。

「医者ではどうにもできなかった。残された人たちは、もう神頼みみたいなことしかできることがなかったんだろうね。ある日、村民たちは霊能者を村に呼んだの。病は悪霊によるものじゃないかと言ってね。それは当たってた。霊能者は村に入るなり、この村に悪鬼がいると告げたの。その霊能者が口にした悪鬼の姿はね、村民が殺した、人喰い殺人者とそっくりだった」

撫子がすっと目を細めた。見惚《みと》れるほどに美しく妖艶で、だからこそ彼女の話す言葉が、余計に底気味悪いものに思えた。

「それからは、高尚な僧侶や名だたる社の神主、祓い屋家業の人にイタコまで呼んで村を清めようとしたけれど、できなかった。村にいるだけで村民も外の人間も次々と奇病に……ううん、怪異に成り果てた殺人者の呪いに侵されたの。残された手段は、この村に誰も立ち入らせないようにすることだけだった。そして、生き残ったわずかな村民は村を離れて、野足村は世間から隠されることになった」

それが、野足村の存在が消えた理由であった。

この件にかかわった者以外には決して村のことが漏れないようにし、あの土地に二度と人が立ち入らないようにした。どれほどおぞましい怪異に成り果てようとも元は人の思念だ、他者に触れず長い時さえ経てば、いずれは自然と消えていくだろうと。

思惑どおり、かつて村全体を侵していた怪異の領域は、七十年近い時が経った今、男が死した石造りの貯蔵庫の中だけに縮んでいた。

だが人は秘密を抱え続けることなどできない。事情を知る者が誰かにこそりと話し、また誰かが誰かに話し、細々と野足村のことが現代まで語られてきたのだろう。噂は流れ続け、興味本位で村に立ち入る者が現れてしまった。そして、怪異に喰われた。

「何人かを食べたから、また領域が広がったんだろうねえ。あの村に入る人が増えたら、またどんどん怪異は大きくなっていくと思う」

なんてことないように撫子は言った。どうするのかと慌てた遊馬が詰め寄ると、撫子は口元に手を当てくすりと笑った。

「心配しなくてもいいよ。もう手は打ってあるからね」

撫子の知人の伝手《つて》で、この件は早急に対処されることになったようだ。詳しくはわからないが、それなりに権力のある人物らがかかわっているらしい。石造りの建物の周囲を取り囲み、物理的に立ち入ることをできなくする工事を数日後には執り行うという。

誰も怪異に触れなければ、いつかは男の魂は消えるだろう。今度こそ、本当に、誰も鬼に喰われなければ。

「呪いは、閉じ込められて殺された男の恨みによるものだったんでしょうか」

話を聞き終えて、遊馬は呟いた。

隣にいた杠葉がゆるゆると首を横に振る。

「いいや。あの怪異に恨みなんてものはないと思うよ。だから呪いも存在してない。

怪異はただ、生前の行いをなぞっているだけだ」

「生前の？」

「そう」

――死者は、生前の行いをなぞることがある。

以前に杠葉が言っていたことを思い出す。

「まだ生きていたとき、男は人間の体を食べていた。そして死んでからもなお喰い続けている。己の領域に入り込んだ人間を捕らえて喰っていたんだ。しかし、肉体を持たない彼は人の肉を食べることまではできない。だから、中身だけを食べていた。怪異と同じで人の目に見えない、けれど人の身の核となるものを」

怪異のそばを離れるとき、何かを食べているような音を聞いた。

そうか。あれは、誰かの体を食べていた音だったのか。

「でも、それってつまり……英二さんの腕や、他の人の体は」

「人を喰う怪異に食べられてしまったのだろうね。肉体はそこにあっても、その中身はもうない。体の機能は正常でも、その身に宿っているはずの魂のようなものは、もうとっくに怪異の腹の中だ」

「戻らないんですか」

「そうだね。この手が鮫《さめ》に喰われたらもう生えてこないのと同じ。怪異に喰われた彼らの体は、二度と元に戻ることはないだろう」

　紅葉は自らの右腕を眼前に掲げる。

　己の意思で動くことのない英二の右腕は、存在していながら、消滅している。現実に見えていたあの腕は、英二の体に付いているだけのただの張りぼてでしかなかったのだ。

　呪いならば、解く方法はあったかもしれない。けれどこれは呪いではない。だから。

「残念だけれど、どうしようもない」

　紅葉が言った。遊馬は頷くしかなかった。


　翌朝、がらくた堂にやって来た英二と母親に、調査の結果を報告した。

　右腕は元に戻らないと伝えると、予想していたとおり母親は喚《わめ》いたが、英二は思いがけず静かに受け入れていた。

「おれたちが軽率な行動を取ったのがいけなかったんです。おれは、片腕だけで済んでよかった」

英二は遊馬たちに深く頭を下げると、母親を引き連れてがらくた堂を去って行った。

遊馬はその背が見えなくなるまで、店の前から見送った。

第二話　獣《しし》の宝玉

「ねえ、この時計って新しく入った品だよね。前に来たときはなかったもん」

先週入荷した置時計を手に取り、恰幅《かっぷく》のいい男性客は、眼鏡の奥の小さな目を少年のように輝かせた。

「いいねえ、この感じ。いかにも何かありそう」

「十年ほど前に亡くなった方の私物だそうで、毎年必ず同じ日の同じ時間に止まるんだとか。それは持ち主だった方が亡くなった時間なんだそうです」

この時計を売りに来た客が言っていたことをそのまま話す。男性客は一層顔を綻ばせ「いいねえいいいいねえ」と興奮気味に繰り返した。遊馬は思わず苦笑する。

「でも、うちでそれを確かめたわけではありませんから。本当に毎年同じタイミングで止まるのかわかりませんよ」

「いいのいいの、それを自分の目で確認するのもまたロマン！　遊馬くん、これ買ってく！」

「ありがとうございます」

遊馬は男性客から置時計を受け取り、杠葉のいるカウンターに運んだ。杠葉は、古物堂の貴重な客が来ているにもかかわらず、いつもどおりロッキングチェアに揺られるばかりで、まともに接客をしようともしていなかった。

「杠葉さん、お買い上げです」

「そう。ちょうどいい箱あったかな」

商品をカウンターに置くと、杠葉はようやく立ち上がった。店主がこんな態度でも、男性客に気にする様子がないのが幸いである。

この客は、遠方に住んでいながら月に一度は必ず杠葉古物堂にやって来る、数少ない常連客のひとりだった。こんな店の常連なのだから、もちろん彼もオカルトマニアだ。毎回店に来ては気に入った品に込められた怪奇譚《たん》に心を躍らせ、値段も見ずに購入していく。

「そうそう、ふたりとも。〈御犬《おいぬ》の泪《なみだ》〉のことは知ってる？」

遊馬が置時計を緩衝材で包んでいると、他の商品を見ていた男性客がすすっとカウンターへ近づいてきた。

「おいぬのなみだ？」

「もう、遊馬くんやっぱり知らないんだあ。伊織くんも？」

「ええ。なんのことです？」

「まったく、祷一郎《とういちろう》さんだったらとっくに僕よりも情報持ってたはずなのになあ」

男性客はむすりと下唇を突き出した。

祷一郎とは杠葉の祖父の名だ。おそらくオカルト絡みの内容だろうから、大のオカルト好きだったという杠葉の祖父ならば確かに食いついていたかもしれない。

「最近オカルトマニアの間で話題になってる宝石なんだけどね。〈御犬の泪〉っていう名前のとおり、犬神が生み出した宝石って謳《うた》い文句で出回っていて、持っているだけで幸運が訪れるんだって」

声を弾ませながら男性客はそう語る。

「犬神、ですか？」

「そう。あの妖怪の犬神。でね、〈御犬の泪〉を配っている人物は、犬神を所有しているから、神飼い、と名乗っているらしい」

いかにも胡散臭《うさんくさ》い話だ、と遊馬は思った。その内心を見抜かれ、にやりと笑った男性客に「胡散臭いと思ったでしょ」と指を差される。

「あ、ええ、まあ」

「こんな噂だけなら僕らオカルトマニアだって食いつかないよ。でも〈御犬の泪〉

はすでに結構な数が出回っていて、実際にとんでもない幸運が訪れたって人がたくさんいるんだ。今や〈御犬の泪〉を手に入れようと神飼いのもとを訪ねる人が後を絶たず、一種の新興宗教みたいになってるって」

「それ自体は、なんかありえそうな話ですね」

「ありえそうじゃなくて、実際にあるんだってば」

はあ、と遊馬は返事をして、梱包用の箱に置時計を入れた。杠葉はいつの間にかロッキングチェアに座り直していた。

「ねえねえねえ、どう？　興味ない？　興味あるでしょ？」

「興味、ですか」

遊馬はちらりと杠葉を見た。案外わかりやすい店主は、いつも以上につんと澄ました顔をしていた。今のところ一切関心を抱いていない様子だ。

「あー、えっと、その〈御犬の泪〉ってやつ、どうやったら手に入るんですか？」

「よくぞ訊いてくれた！」

男性客がカウンターに身を乗りだす。遊馬は咄嗟に仰《の》け反《ぞ》った。

「実はね、普通に買えるんだよ。神飼いの拠点が長野にあって、基本はそこから直接購入するんだって。新興宗教なんて言われてはいるけど、別に何かに入会する必要もないし。買うハードルはかなり低くて、だからたくさん出回ってるんだけど」

「へえ……犬神の宝石って言うわりに簡単に手に入るんですね」

「ただし、ひと粒一千万円ね」

「い、一千万？」

目を見開いた。遊馬は最近やっと貯金額が五十万に達したところだった。それだけでも大金持ちになった気分でいたのだが……一千万円など、遊馬にとっては果てしない金額だ。

「ま、庶民にとっちゃ高いけどさ、まったくもって手が届かない額ってわけでもないでしょ。だから、お金持ちがこぞって購入してるのはもちろん、一般人でも全財産叩《はた》いてまで買う人もいるらしいよ」

「ま、まあ……普通の宝石でもそれ以上するものありますしね」

「そうそう。しかも〈御犬の泪〉は、一千万を払ってもそれを上回る利益が返ってくるから、皆何がなんでも欲しがってるってわけ」

僕もひと粒買いたいんだけど家内が許可してくれなくて、と男性客は泣く振りをした。彼としては『幸福をもたらす宝石』を求めているわけではなく『不可思議な曰くのある奇妙な石』が欲しいのだろう。撫子あたりも欲しがりそうだなと遊馬は思う。

「でも」

と、男性客が急に復活し顔を上げた。

「伊織くんなら買えるんじゃない？」

「え？」

「だって伊織くん、お金持ってるじゃない」

男性客は杠葉に視線を向ける。杠葉も冷えた眼差しを向け返す。

古物堂の売り上げは日々ゼロに等しく、またがらくた堂の相談にも金品は一切受け取っていない。しかし杠葉には、この店と共に祖父から受け継いだ不動産がいくつかあった。そこから得る収入が、聞けば遊馬の目玉が飛び出るだろうほどにあるらしい。遊馬の給料もそちらの収入から支払われているのだ。

「そうですね。金額としては払えない額ではありません」

「でしょう！」

「でも買いませんよ」

「なぁんでよぉ」

「なんでもです」

「……伊織くんに買ってもらって見せてもらおうと思ったのに」

丸い肩がふたたびがくりと落ちた。杠葉の表情はなおも冷めている。

「僕は宝石の類に興味ありませんから。今の話だけだと悪質な詐欺のようでもありますし」

「詐欺じゃないよう。本当に幸運が訪れるって、すごい話題になってるんだから」

「本当ならばなおさら、手出ししないほうがいいかと」

杠葉はロッキングチェアを少し揺らした。

ぎい、と木の軋む音がする。

「犬神という物の怪は、決して人に幸運をもたらす存在ではありませんよ」

切れ長の目がすっと細められる。

男性客は口を噤み、やがて口角をこれでもかと下げた。杠葉の言葉に納得してしまったのだろう。

益ばかりを運ぶものなどない。怪異が絡んでいようとなかろうと、そんな上手い話、あるわけない。

「そうだよねえ……」

「理解しているのなら下手に首を突っ込まないこと。いいですね」

「りょうかぁい」

男性客は落ち込んだ様子だったが、紙袋に入れた置時計を渡すとあっという間に機嫌を回復させた。

「あ、でももしどっかで手に入ったら見るだけ見せてね」

と言い残し、古物堂の常連は帰って行った。

外まで見送ってから店内に戻ると、杠葉がカウンターに頬杖を突いてこちらを見ていた。遊馬は首を傾げながらもとととっと歩み寄る。

「杠葉さん、どうかしました？」

やはり先ほどの話が気になっているのだろうか。依頼でないなら、杠葉が興味を持ちそうな類の怪異話ではなかったが。

「や、神飼いとやらの本拠地が長野だって言っていたけれど、遊馬くんの地元も長野だったなって思って」

「ああ、はい。そうですね」

男性客からその地名が出たとき、遊馬もはっとした。長野は遊馬が生まれ、高校を卒業する十八歳までを過ごした土地だ。

「なんなんでしょうね。本当に怪異絡みなのか、ただの悪徳商法なのかわかりませんけど、何にせよ地元でこんなことやられてるのってちょっと嫌ですよね」

「まあそれはどうでもいいんだけど」

「えっ」

「遊馬くんって最近実家に帰ってるの？」

　杠葉に言われ、遊馬は視線を斜めに向けた。祖母とはよく電話をしているからあまり実感がなかったが、考えればもう随分長いこと長野には戻っていない。少なくとも、杠葉のもとで働き始めてからは一度も。

「帰って、ないですね」

「ならたまには顔を見せに行ってあげたら？　数日休みを取っていいからゆっくりして来るといい」

「いいんですか？」

「うん。店のことは心配しなくていいよ。のんびりやるから」

「あ、いや、でも」

　遊馬としては、店のことより杠葉自身の生活のほうが心配だった。この人は、遊馬と知り合うまで一体どう生きてきたのかと不思議に思うほど、身の回りのことに無頓着であるから。

「僕のことも大丈夫だから」

内心を読み取ったらしい杠葉が少しだけ表情を苦くする。

「一応きみと出会う前も人並みの生活をしてきてるんだよ。そんなに心配しなくても数日くらいひとりで平気だって」

「……帰ってきたら、散らかった店でお腹空《なかす》かせて倒れてたりしませんよね？」

「あのね遊馬くん、僕を気にして、万が一にも肉親に会えなくなったらどうするの。いつ会えなくなるかなんて誰にもわからないいんだからね」

「そう、ですよね……」

肉親を――双子の弟を突然失った経験のある杠葉の言葉は、芯に突き刺さる。

祖父母は大きな病気などしたこともなく、祖父に至ってはいまだ現役で仕事もしている。それでももう一般的に高齢者と呼ばれる年齢だ、いつ何があってもおかしくはない。もちろん、普通ではない仕事をしている、遊馬自身にも同じことが言える。

「じゃあ……お言葉に甘えてもいいですか？」

遠慮の抜けきらないまま呟くと、杠葉は小さく溜め息を吐いた。

「もちろんだよ。好きなだけ滞在しておいで」

「おれがいなくても、ちゃんと野菜とお米とお魚と卵とお味噌汁食べて、お布団で寝てくださいね」

「努力はするよ」

作り置きのおかずをいくつか冷蔵庫に入れてから行こうと、遊馬は心に思った。

○

遊馬が育ったのは、長野市内の市街地から外れたのどかな地域だった。

東京駅から北陸新幹線に乗り、長野駅に降り立った遊馬は、久しぶりの地元の空気を嗅いでほうっと肩の力を抜いた。

長野駅周辺はそこまで馴染みがあるわけではないが、やはり東京と比べると随分落ち着く。帰ってきた、という気持ちになれる場所だ。

駅に併設された駐車場に向かう。辺りを見回すと、見覚えのあるブルーのタントを見つけた。近づいて助手席側の窓をコンと叩くと、運転席で文庫本を読んでいた祖父が顔を上げた。

「悠人、おかえり」

「迎えに来てくれてありがとう、じいちゃん」

後部座席に荷物を置き、遊馬は助手席に乗り込んだ。エンジンがかかり、車がゆっくりと出発する。

祖父は、以前会ったときよりも少しふっくらしていた。白髪は増えたが髪の量は減っていない。セントバーナードみたい、とよく言われる垂れ目と目尻の皺も健在だった。元気そうな様子にほっとする。

「悠人、ちょっと太ったなあ」

実家のほうへと見慣れた道を向かう最中、ハンドルを握る祖父がふくふくと笑みを浮かべながら言った。遊馬は咄嗟に自分の頬をむにりと触る。

「そうかな。太った自覚なかったけど……」

「ちゃんとごはん食べてる証拠だろうに。よかったよかった」

「てか、じいちゃんこそ顔丸くなったよ」

「え、最近ウォーキングさぼってるからかなあ」

祖父も自分の頬に触れる。遊馬は思わずくすりと笑った。

車は順調に市街地を抜け、犀川《さいがわ》を渡り、三十分ほど走ったところで目的地に辿り着いた。畑に林、果樹園など緑が多く広がる、茶臼山《ちゃうすやま》の麓の静かな土地だ。顔ぶれの変わらない家々がゆったりと並ぶその中に、遊馬の生まれ育った古い家も建っていた。

自宅前の駐車場にタントが停まる。遊馬が車を降りるより先に、エンジン音を聞きつけた祖母が玄関の戸を開けた。

「悠人、おかえり」

「あ、ばあちゃん、ただいま」

祖母も変わりなさそうだ。着ている椿《つばき》柄の割烹着《かっぽうぎ》は、去年の敬老の日に遊馬が贈ったものだった。小柄な祖母には少しサイズが大きかったみたいだが、明るい柄はよく似合っていると思う。

「東京から来るの疲れたでしょう」

「ううん、新幹線だと結構すぐ着いちゃうから」

「そう。でもお腹は空いてるでしょ。お昼ごはんすぐ用意できるからね」

「ありがと」

祖父がタントから荷物を取り出していた。遊馬は着替えの詰まったボストンバッグを受け取り、つと親しんだ家を見上げる。

二階建て瓦屋根の一軒家。二人暮らしには有り余る程度の部屋数があり、敷地内には車を数台停められるスペースのある前庭のほか、菜園付きの奥庭もある。もしも東京の都心にこんな家があったら大金持ちの住まいだと思うだろうが、この土地では珍しい広さでもなく、実際に遊馬の家もごくごく普通の一般家庭であった。

むしろ、遊馬の両親がいない分、楽な生活ではなかっただろう。それでも大切に育ててくれた祖父母には感謝の気持ちしかない。いつかお金を貯めて恩返しをしたいと、遊馬はいつも思っている。

家に入り、二階の自分の部屋に荷物を置いた。遊馬の部屋はこの家を出る前のままだった。ベッドの布団だけ新しいものになっている。触ると少し温かい。先ほどまで祖母が干してくれていたのだろう。

荷物を整理してから居間に向かうと、祖母の手作りの料理が卓にいっぱい並んでいた。遊馬の好物ばかりであった。遊馬は祖父母と共に、久しぶりの家族団欒《だんらん》を楽しんだ。

「そういえば、じいちゃんたち〈御犬の泪〉って聞いたことある?」

すっかり腹が膨れ、コップに残った麦茶を飲み干したあと。ふと先日聞いた話を思い出し、祖父母に訊ねてみた。

祖父母は互いに顔を見合わせて、ふるふると首を横に振る。

「知らないけど、何それ」

「や、なんか、宝石らしいんだけどね。持ってると幸運が訪れるとかっていうフレーズで販売されてるんだって」

「わっ、怪しすぎ。悠人、絶対そんなの買っちゃ駄目よ」

「買わないって。その販売元の拠点が長野にあるらしくて、じいちゃんとばあちゃんは大丈夫かなって思って訊いたんだ。じいちゃんたちこそ詐欺とかに巻き込まれやすい年代だからさ、心配で」

「馬鹿にしないでよ。ばあちゃんは知らない電話番号には出ないし、訪問販売も宗教勧誘も箒《ほうき》で掃いて蹴散らしてるから」

「それなら安心だけど」

とりあえず、他の詐欺はともかく〈御犬の泪〉に関しては今のところかかわりはないようだ。

随分数が出回っているという話だったが、庶民にはそこまで浸透していないのだろうか。そもそも〈御犬の泪〉や神飼いが実在しているのかもわからないが。

「いいか悠人、東京はこっちよりもいろんな誘惑があるだろうけど、何をやるも誰と付き合うも、きちんと自分の目で正しいかどうかを見極めるんだよ」

悪いことは絶対にしちゃ駄目だからな、と祖父が言う。

「わかってるよ。心配しないで、ちゃんと真面目にやってるつもりだから」

遊馬は苦笑しつつ頷く。

「それに、今の仕事も続いているしさ」

「その悠人の勤め先の……」

「杠葉さん？」

「そう、杠葉さんにもご迷惑はかけてないだろうね」

「大丈夫。まあ、まったくかけてないわけじゃないと思うけど」

「その人から嫌なことされてたりもしない？」

「それはないよ」

怪異に絡んだ体質のせいで、遊馬は人間関係で幾度と苦労を重ねてきた。それを知る祖父母が心配する気持ちはわかる。ただ、今は大丈夫なのだと、はっきりと答えられる。

「杠葉さんは、ちょっと変わってるけどいい人だし、それに、おれを必要としてくれているから」

働き口を探して東京に出た。守ってくれる人たちのいない土地は、苦しい経験をすることも少なくなかった。

　杠葉と出会い、がらくた堂で働き始めてからは、これまで以上に怪異に巻き込まれ大変な思いをしている。でも辛《つら》くはない。自分を受け入れてくれる居場所があることが、遊馬には何よりも心地よかったから。

「そう、よかった。その御縁をどうか大事にするのよ」

　祖母が言い、祖父も頷いた。遊馬は目尻を下げて笑った。

　ここにいる間に東京での話をたくさんしよう。遊馬があの街で出会った人、過ごした日々、それらを知ってもらって、しっかり自分の足で立ち居場所を見つけられているのだと、ふたりに教えてあげようと、遊馬はそう思ったのだった。


　夜。風呂から上がった遊馬は、濡れた髪をタオルで拭きながら、なんとはなしに仏間に足を向けた。

　線香の匂いの香る和室に、黒檀《こくたん》の仏壇がひっそりと置かれている。供え物は祖父母が毎日取り替えているようだ。今日も瑞々しい花が咲いていた。

　遊馬は一度おりんを鳴らし、両手を合わせた。瞼《まぶた》を閉じた両の目には真っ暗闇しか映らない。

ゆっくりと目を開ける。仏壇には、写真立てがひとつ飾られている。挟まれた写真は遊馬の知らない女性のものだ。自分とよく似た顔で笑う、若い女性。遊馬の母の写真だった。

「母さん」

高校在学中の十七歳のときに神隠しに遭い、八年後に突如戻ってきて、遊馬を産んだという。母は、遊馬を産んだのち七日間生きていたそうだ。

生まれたばかりだった遊馬に当時の記憶など当然なく、母との思い出はひとつもない。それゆえ母への愛着も、誰かもわからない父親への執着もなく、自らの家族といえば育ててくれた祖父母の存在しか思い浮かばなかった。

両親の夢を見たあの日まで、遊馬はそう思っていた。

以前、ウツボの怪異に攫《さら》われたとき、遊馬は夢を見たのだ。草花の咲き誇る美しい大地に立つ、仲睦《なかむつ》まじい男女の姿がそこにあった。男のほうは、ひと目で人間ではないとわかる容姿をしていた。女のほうは、遊馬が写真の中で見たことのある人であった。

遊馬の、両親だった。

写真でしか顔を知らなかった母。異形の美しい神である父。彼らがなぜ遊馬を生んだのか、母がなぜ出産間際に現世へ戻ってきたのか、母はなぜ死んだのか。疑問は今も疑問のままだ。

けれど、怪異に惑わされ見た夢の中で、遊馬はひとつだけ真実を知った。

自分は父と母に愛され、望まれて、生まれてきたのだと。

「母さん、ただいま」

呟く声に返事はない。母はもうこの世にいないのだ。

「……」

遊馬は立ち上がると、そのまま居間に向かった。祖父はテレビを見ていて、祖母は趣味の刺繍《ししゅう》をしていた。

「じいちゃん、ばあちゃん」

声をかけると、ふたり揃って振り返る。

「どうした悠人」

「お腹でも空いた？」

「ううん。あのさ、母さんのこと、教えてくれないかなって、思って」

テレビから笑い声が聞こえる。祖父がリモコンを押してテレビを消した。

途端に居間が静かになる。祖母は、手にしていた布と針を卓に置いた。

「おれ、その、母さんのこと、全然知らないから。どんな人だったのかとか、おれを産んだときのこととか、知りたくて」

上京する直前、祖父母から母のことを教えられた。そのとき聞いたのは近所の人たちの噂話ですでに知っていたようなことばかりであった。遊馬はそれ以上のことを知ろうとしなかった。自分にとって重要なことではないと思っていた。

ただ、今は違う思いがある。自分を生んでくれた母のことをちゃんと知りたい。

「わかった。おまえのお母さんのことを話そう。おいで」

遊馬は頷き、祖父のそばに腰を下ろした。祖母も刺繍の道具を片付けて近くにやってくる。

ひとつ呼吸をし、祖父は話し始める。

「悠人のお母さんは……遙《はるか》は、悠人に見た目も中身もよく似ていた。いや、中身は悠人に比べるとちょっとばかしお転婆だったかもしれない」

そう言うと、祖母が笑った。

母は、小さい頃から外で遊び回るのが大好きで、ひとりで山に入っては転げ回って擦り傷を作り、でもげらげらと楽しそうにしている子だったそうだ。祖父母としては心配で、何度も「ひとりで山に行くな」と注意したようだが、母はなぜか「自分は大丈夫」との自信を持っていて、祖父母の目を盗みしょっちゅう大自然を冒険していたという。

「……おれのどこがそれに似てるって？」

「だから、ちょっとお転婆だったんだって」

「ちょっとどころじゃないよ」

遊馬も家で大人しくするよりは外で遊ぶほうが好きではあったが、祖父母に言われたことはきちんと守る子どもだった。祖父母には迷惑ばかりかけてきたと思っていたが、自分は案外ましな子なんじゃないかという気がしてくる。

「まあ、今になって思えば、そのときから遙は山の神様に魅入られていたのかもしれないが」

祖父が呟いた。

母は注意も聞かず山で遊び続けたが、大きな怪我をすることもなく、事故に遭うこともなく、無事に元気に育った。中学生になる頃にはさすがに活発さも落ち着いた。ただ、やはり時折ふらりと山に入っては、深い緑の中でひとり静かに過ごすことがあったという。

「そんなふうに目の離せない子ではあったけど、とてもいい子だったよ。明るく健康で、友達も多くて、優しい子だった」

それは遊馬も知っている。母の同級生だった近所の人からもよく聞かされていたのだ。母は、誰からも好かれる人であったのだと。

「遙が高校二年生のとき、十七歳になったばかりのときだった。少しね、家でぼんやりしていることが多くなったんだ。そういう年頃なのだろうとそっとしていたけれど……ある日の夜にね、遙が突然言ったんだよ」

――お父さん、お母さん、今までありがとうね。

他愛ない話をしている最中、あまりに何気なく言われたことだった。母の様子はいつもとまるで変わらず飄々《ひょうひょう》としていたが、その言葉はまるで、別れの言葉のようであった。

母は、深い意味はなく、ただ言いたくなっただけだと照れたそうだが、祖父母の胸はどうにも騒いだ。

そして予感は当たる。次の日の朝には、母の姿は消えていた。

「本当に忽然《こつぜん》と消えたんだ。荷物も何も持たずに。警察も、知り合いたちも懸命に探してくれたけど、痕跡はひとつも見つからなかった。事件に巻き込まれたのか、事故に遭ったのか、自分の意思で家出したのかも、何もわからないまま」

祖父の視線が下がる。祖母は静かに、語る祖父を見守っている。

遊馬は少しずつ息を吐いた。杠葉がいつか教えてくれた、彼の弟——杠葉壱路《いちろ》がいなくなったときの話を思い出していた。

杠葉壱路は十六年前に神隠しに遭い、今も行方がわからずにいる。杠葉壱路も失踪直前、自分が消えることを示唆していた。彼も、そして遊馬の母も、自分がこれから神の許《もと》へ行くことを知っていたのだ。

神に見初められた〈神の妻〉になることを。

母は祖父母の前から姿を消した。祖父母は何年が過ぎようと母を探し続けたが、心のどこかではもう二度と娘には会えないのだと感じていた。

しかし、母は帰ってきた。いなくなって八年が経った夏の日のことだった。

「突然インターフォンが鳴って、出たら家の前に遥がいたんだ。驚いたよ。言ってやりたいことがあまりにたくさんあった。でも全部どうでもよかった。帰ってきてくれて、また会えてよかったって、じいちゃんもばあちゃんもそれだけを思っていたんだ」

八年ぶりに姿を見せた母は、ややばつが悪そうに「ただいま」とはにかんだという。それから、以前と変わりない陽気さを携え、けれど祖父母の記憶にある印象より大人びた表情を浮かべて、お腹に子どもがいるのだと告げた。

祖父母は当然八年間のことを訊いたが、母はすぐには話さなかった。祖父母もしつこく問い質すことはしなかったそうだ。

「過去に何があったとしてもいい。この家のことを忘れずに帰ってきてくれただけでいいと思っていた」

母が自分から話をし始めたのは、帰って来てから間もなく三ヶ月となる、出産予定日を間近に控えた頃だった。

母は、遠い土地の山に棲む神の許にいたのだと語った。自分は神に愛され、人の世とは異なる場所で幸福に暮らしていた。お腹の子はその神の子だと、母は言った。戻ってきたのは神域では出産ができないためだと。子を作ることも、そのために人の世に戻ることも、自分と神とのふたりで決めたことであると、そう言っていたそうだ。

「もちろんそのときは信じなかったよ。でも否定はしなかった。遙の言葉を否定したら、またいなくなってしまうんじゃないかと思ったから。とにかく今は遙が心穏やかに過ごせる場所を作り、無事に赤ちゃんを産めるよう守らなければと考えていた」

間もなく母は子どもを――遊馬を産んだ。酷い難産で、一時は母の身だけでなく、遊馬の命も危うい状態だったという。母は朦朧《もうろう》とした意識の中、子どもだけは守ってくれと祖父母や医者に伝えていた。

無事に出産し、遊馬を初めて抱いたとき、母は、この世で一番に幸せそうな顔をしていたと、祖父は言う。

「あの子は、自分が愛したひととの子を、命を懸けて守り切ったんだ」

母は、真っ赤な顔の男の子に、自分の名と同じ読みを持つ漢字を入れた名を付けた。どんなときでもそばにいると信じてほしい。そんな切な祈りを込めて。

「遙はきっと、悠人と共に生きられないことを知っていたんだろう。もしかすると、この家に帰ってきたそのときから」

元気になっていった遊馬とは裏腹に、母は出産後から容態の悪い状態が続いていた。誰もが懸命に尽くしたが、母の体調がよくなることはなかった。

そして、祖父母に、今までありがとう、といつかと同じことを言い、子どもを頼むと願って、出産から七日後に息を引き取った。

この世に神の子を遺して、母は本当に消えてしまったのだった。

「……」

共に生きたのはたったの七日間。遊馬が母に抱かれたぬくもりなど覚えているはずもない。自分の名を呼んでくれた声も、向けられた笑顔も、ずっと知らないままだった。

二度と触れ合うことは叶わない。だが、今になってようやく、母と向き合えたような気がする。

「悠人には信じていてほしいんだ。あの子は間違いなくおまえを愛していたと」

祖父の言葉に遊馬は頷いた。

「うん。わかってる」

わかっている。母に願われてこの世に生きていることを。

だから、命を賭して産んでくれた母のことも、大切に育ててくれた祖父母のことも、遊馬は深く愛していた。そして——。

「おまえの父親のことは、じいちゃんたちは何も知らない」

「……うん」

「まあ、おまえの体質とか、いろいろ訳わからん目に遭ってきたことからして、父親が人じゃないっていうのは本当じゃないかって今は思っているけど」

「うん。それは、たぶん」

「神様だとしても、遙が生きていたなら会えることもあったかな」

「そうだね。そうかもしれない」

「神様なんて、見たら目が潰れそうだけど」

「ふふ」

神と呼ばれる存在であろう父親に関して、遊馬が知ることもほとんどない。唯一、夢の中で見た姿だけが手掛かりだった。ただでさえ神に出会うことは容易ではない。本当に会えるとは思っていない。

けれど、もしも会うことがあったなら、父と、話がしてみたいと、今はそう思っている。

「悠人なら、もしかするといつか会えるかもしれないな」

そうだね、と、遊馬はもう一度答えた。

○

二日目まではのんびりと実家を満喫していたが、帰省も三日目となると、東京にいる杠葉のことが少しずつ心配になってきてしまった。

偏らない食事を取れているだろうか。ごみは燃えるごみの日にちゃんと出しただろうか。人前に出るときは寝癖を直しているだろうか。怪異の依頼が入り無茶をしたりはしていないか。いや、怪異に関して無茶をしがちなのは自分のほうかもしれないが。

電話でもしてみようかとスマートフォンを手に取り、やめた。心配で連絡を取るなど、杠葉のことを馬鹿にしているようで失礼だろうと、自分で自分を叱った。

大丈夫だと言っていたじゃないか。杠葉は遊馬よりもずっとしっかりしている大人なのだ。きっと、杠葉も杠葉で久々のひとりの時間を楽しんでいるに違いない。心配ない。数日分のおかずの作り置きを冷蔵庫に置いてきたし。

「ばあちゃん、おれちょっと散歩行ってくるよ」

心配ないと思おうとしても、じっとしていると考え込んでしまうから、気晴らしに近所を歩くことにした。

台所にいた祖母に声をかけると、祖母は自慢の菜切り包丁を振って答えた。

「じゃあついでにスーパー行って大根とごぼう買ってきてくれない？」

「えっ、結構歩かなきゃいけないじゃん」

「大丈夫、すぐそこだって。でも気をつけて行っておいでね。変な人に付いて行っちゃ駄目よ」

「ばあちゃん、おれもう成人してるんだけど」

「変なモノにもね」

「はあい」

そっちは本当に気をつけなければ。肝に銘じながらスニーカーを履き、家を出る。

心地よく冷たい風が吹いていた。東京のアパートの周辺と違い、この辺りは家々が少なく、高い建物もなくて、空が広い。景色は遊馬の小さい頃からほとんど変わっておらず、どこを向いても懐かしさばかりを感じられる。

人とすれ違うことはとんとないが、たまに農作業中の顔見知りと出くわした。遊馬を見ると、皆ぱあっと笑顔を浮かべ名を呼んでくれた。

「悠人くん、帰ってきてたの」

「あらま悠人ちゃん、すっかり大人っぽくなって」

「悠人、おかえり」

遊馬は誰に対してもほこりと笑んで挨拶を返した。近所付き合いは大切に、とは、幼い頃から祖父母に口酸っぱく言われてきたことであった。

怪異に巻き込まれ、傍《はた》から見ればおかしな言動を取ることのあった遊馬は、周囲から孤立しがちだった。だからこそ祖父母は、本当に孤独になることのないようにと、卑屈にならず人とかかわり合い続けるよう遊馬に教えたのだ。

そのおかげで今の自分でいられるのだと思っている。もしも祖父母の言葉がなかったら、遊馬はとっくに人との繋がりを諦めていただろう。誰も信じず、わかってもらおうとも思わず、たったひとりで生きようとしていただろう。

世の中、いい出会いばかりではないが、それほど冷たい世界でもないと、今の遊馬は考えている。

「こんなもんでいいかな」

三十分ほど歩いて町へ行き、祖母に言われたものと、ついでに少なくなっていた味噌と牛乳をスーパーで購入した。店を出て、さてまた三十分かけて帰ろうかと歩き始めたところで、

「あれ、おまえもしかして遊馬？」

と声を掛けられた。

若い派手な男だった。咄嗟に何者かわからず遊馬は眉を顰めたが、サングラスを取った顔に見覚えがあり、ようやく名前を思い出した。

「……木原《きはら》」

小学生のとき同級生だった男だ。いつだったたか木原が市街地に引っ越し、それ以降会ったことはなかった。

確か、父親が医者で、伯父が県議会議員と言っていただろうか。身内が社会的地位の高い職に就いていることを笠《かさ》に着て、学校の中でお山の大将をしているいけ好かない奴だった。

遊馬は木原が嫌いだ。偉そうな態度も苦手であったが、それ以上に、木原に散々された嫌がらせを許せなかった。

怪異の臭いや、見えない何かとの付き合い方をまだ身に付けていなかった小学生の遊馬を、木原はからかい、挙句「呪われている」と周囲に言い回った。遊馬は木原の取り巻きから後ろ指を指されるようになり、木原が転校するまで、ひとりきりで辛い日々を送り続けることになったのだ。

「久し振りじゃん遊馬。変わってねえのな、すぐわかったよ」

過去を憶えていないのか。憶えていても気にしていないのか。妙に馴れ馴れしく木原は話しかけてくる。

「おまえさ、地元から追い出されたって聞いたけど、違ったわけ？」

へらへらとした木原に、遊馬は露骨に顔を歪《ゆが》めた。

「追い出されてなんかない。自分の意思で東京に出たんだ。今は仕事が休みで帰省してるだけ」

「ふうん、東京ねえ。なんの仕事してんだよ」

「……古物店で働いてる」

「へえぇ」

口角を上げる木原の表情には、明らかに侮蔑の色が見えている。

「それって何？　バイト？　ちゃんと稼げんの？」

「バイトじゃない。社員だよ」

「おれはさあ、大学行きながら起業してて。今かなり上手く行ってんだよね。こないだとうとうフェラーリ買っちゃってさ。納車が済んだら見せてやってもいいぜ。どうせおまえ、間近でフェラーリなんざ見たことねえだろ」

なるほどと、遊馬は思う。

大学も行かず大した収入もないだろう遊馬と、わかりやすく成功している自分とを比べ悦に入り、且つ遊馬の劣等感を誘いたいようだ。木原のほうこそまるで変わっていない。

「木原って、他人を見下すことでしか自分の価値を見出せないの？」

昔は言えなかったことを口にした。木原が「は?」と声を上げ、目元をぴくりと痙攣させる。

「何言ってんの」

「何って言葉のとおりだよ。学生のうちから起業して成功してるのは凄いことなんだから、それでいいじゃん。なんでわざわざ他者を下げることするんだよ。おれには意味がわからない」

「わかんねえって、だったら偉そうな口利かずに黙ってろよ」

「そうするよ」

睨まれようが凄まれようが、今の自分は怯《ひる》まない。否定の言葉を吐かれようと動じもしない。自分の価値は、すでに自分で決めている。

「悪いけどおれは木原に興味ない。もう行くよ。会社の経営頑張れよ」

木原に背を向けた。肩越しに「クソが」とはっきり聞こえた罵倒は、聞こえなかった振りをした。

けれど。ふいにかすかな臭いを感じ、足を止める。

……獣の臭いがする。ただの動物の臭いではない。怪異の臭いだ。

どこからだ、と臭いを辿り、振り返った。木原がこちらを睨んでいた。遊馬はっと、木原が首に着けているものに視線を向ける。銀のチェーンに、同じく銀の指輪が――赤黒い石の付いた指輪が下がっている。

遊馬の視線に気づいた木原が右手で指輪を摑んだ。目を合わせると、木原はにいっと不気味に笑った。

「なあ遊馬、おまえガキの頃さ、バケモンの臭いがわかるとか言ってたろ。あれってマジだったの？」

「え……？」

どくりと心臓が鳴る。

木原は両目を三日月の形にして遊馬を見下ろしている。

「襲われてるとかも言ってたっけなあ。マジで気味悪くて笑えたぜ、あんときのおまえ」

「それは……」

遊馬はなるべく冷静を装い、首を横に振った。

「……怖がりだったから。昔は、不気味な物を化け物と思い込んでたんだよ」

「何、ただの虚言癖だったわけ？　だっせぇ。構ってちゃんじゃねえか」

「なんとでも言えばいい。おれも子どもだったってだけだよ。化け物なんて、本当にいるわけない」

「なるほどねえ」

でも、と木原が言う。

「いるぜ。本物の化け物は」

木原の右手が開かれた。赤い石の付いた指輪が手から落ち、チェーンに引っ張られて胸元でとんと跳ねた。

遊馬の鼻先に濃い獣の臭いが触れる。怪異の臭いは、木原の持つ指輪から放たれている。自分が身に着けているものに怪異が関係していることを、木原は知っているのだろうか。

「まあおまえにゃ一生関係ねえことだがな」

下卑《げび》た笑みを浮かべ、木原は去って行った。

怪異の臭いが消えていく。遊馬は鼻を擦ってから、踵《きびす》を返し帰路に就いた。

怪異の臭いを嗅いだとき、遊馬の脳裏には〈御犬の泪〉の存在が思い浮かんでいた。もしも〈御犬の泪〉が噂どおり犬神の生み出した石であるならば、それからは獣の臭いがするはずだ。

木原の持っていたあの指輪も……いや、あの指輪に嵌《は》められた赤黒い石も、獣の臭いがしていた。あれはもしかすると、〈御犬の泪〉と呼ばれるものだったのではないだろうか。

少なくとも、あの石が怪異に関係していることは確かだ。

〈御犬の泪〉も神飼いも、霊感商法に近いただの詐欺だと思っていたが……もしも本物の怪異が絡んでいるとするなら見方が変わってくる。

一応、東京に戻ったら杠葉に話をしてみようか。

木原にはもう会うことはないだろうし、木原の捨て台詞《ぜりふ》を思うに庶民が簡単に手にできるものでもないようだ。遊馬の身近に迫ることはなさそうだが、このまま見て見ぬ振りをするのはいささか不安だった。

「なんかおれ、どこにいても怪異から逃れられないなあ」

自室の布団に横になっていた遊馬は、溜め息混じりに独り言《ご》ちた。

時刻はすでに真夜中になっていた。祖父母はとっくに一階の寝室で寝ているだろう。

考え事をしていてなかなか寝付けなかったが、そろそろ寝ようと部屋の電気を消した。瞼を閉じるとやがて微睡《まどろ》み始める。

時計の秒針の音が室内に響く。東京のアパートと違い、この家は夜になると世界から隔離されたように静かになる。

しんと、沈んだ闇の中。

――かたり。

かすかな物音がして、遊馬は重い瞼を開けた。なんだろう。音がしたほうに寝ぼけた視線を向ける。

眠気が一瞬で吹き飛んだ。

カーテンを閉めていなかった窓の外から、何かがこちらを覗き込んでいた。

真っ黒の丸いふたつの目玉と、潰れた鼻。長く伸びた人中から続く口は、耳の近くまで裂けている。皮膚に無数の皺の寄った顔以外は、全身が白い毛で覆われていた。

なんだ、これは。

猿か。

普通の猿ではない、巨軀《きょく》の化け物……猿の怪異が、すぐ外にいる。

「……っ」

遊馬は出しかけた叫びを必死に飲み込んだ。声を上げたら祖父母が起きてしまう。

この怪異が祖父母にも見えるかはわからないが、怪異に祖父母を認識させるのは危険だ。何をされるかわからない。

「……」

遊馬の部屋の外にベランダはなく、窓の中ほどまでの高さの簡素な手摺りがあるだけだ。猿の怪異は器用に手摺りに摑まっている。本来これほどの大きさの物体に耐えられる造りではないはずだが、今は軋む音すらしない。

遊馬はなるべく呼吸を止め、上体だけを起こしじっと猿を見ていた。寝間着代わりのジャージの下には粘ついた汗を掻いていた。

猿も、ぎょろりとした目玉を遊馬に向けている。襲ってくるでもなく、他に何をするでもなく、遊馬のことをただ見ている。

時計の秒針の音が室内に響く。

実際には一分も過ぎていなかっただろう。遊馬にとっては一晩中にも思えるような時間ののち、猿はふっと姿を消した。

見えなくなってもしばらく緊張は続いた。少し経って、戻ってくる様子がないことで、ようやく肩の力を抜いた。

額に掻いた汗を拭い、スマートフォンを持って窓に近づく。窓を閉めたまま一旦ライトで外を照らし、周囲を確認したが、猿の怪異の姿は見当たらなかった。

そっと窓を開ける。ふいに獣のような臭いを感じ身構えたが、やはり猿はもういない。代わりに、手摺りの下部に石がひとつ置かれていた。親指の爪ほどの大きさの滑らかな石だ。スマートフォンの灯りで照らすと、赤黒い色味をしているのがわかった。木原の持っていた石とそっくりだった。

「なんであの猿が、これを……」

あの怪異はどこをどう見ても犬神ではなかった。ならばこれは〈御犬の泪〉とは違う。つまり、この石とそっくりの木原の石も、〈御犬の泪〉ではない可能性が出てくる。

だとするとこの石はなんなんだ。あの猿の怪異は何物で、なぜ遊馬のもとに姿を現し、この石を置いて行ったのか。

何が、起きているのだろうか。

「……うああ」

考えても答えが出ず、遊馬は頭を掻き毟《むし》った。ひとりで悩んだところで正解になど辿り着かないことはわかっている。時計の針は二時を指していた。

遊馬はとりあえず窓を閉め、謎の石を机に置いた。布団に潜り、なるべく何も考えないように目を瞑《つぶ》る。

あと数日は実家で過ごすつもりだったが、予定を早め、翌日には東京に戻ることにした。

支度を終え、家を出たのは昼前だ。長野駅までは、来たとき同様に祖父の車で向かった。見送りをしたいからと、今回は祖母も一緒に来ていた。

「これ新幹線で食べな。あとこっちは杠葉さんへの手土産ね。いつもお世話になってますってちゃんと伝えるんだよ」

「うん。ありがと」

改札の前で、パックに入ったおにぎりと、先ほど買ったばかりの栗きんとんの入った紙袋を渡される。

「あのさ、じいちゃんもばあちゃんも、もし何かあったら、すぐにおれに連絡してね」

「わかってる。悠人もだよ」

「うん」

昨夜のことは祖父母には伝えていない。あの怪異の目的はおそらく遊馬だっただろうから、祖父母に悪さをすることはないと踏んでいる。だとしても不安がないわけではない。早急に杠葉に相談し、あの猿の怪異のことと……赤黒い石の正体を突き止めなければいけない。

「あと悠人、これも」

新幹線の出発時間が近づいている。

改札内に入ろうとすると祖父に呼び止められ、小袋をひとつ渡された。

手のひらに収まるほどの大きさの青い絹の袋だ。中には硬い物が入っている。

「これは？」

「遙が帰ってきたときに持っていた物だ。万が一にも悠人に悪影響があったらいけないと今まで隠していたが、今のおまえにならら渡しても大丈夫だろうと思ってな」

小袋の口を結んでいた紐を解くと、白と茶の混ざった何かの欠片《かけら》がころりと転がり出てきた。

「木……いや、骨？」

「何かはわからん。じいちゃんは、鹿の角に似ていると思ってる」

「鹿の、角……」

遊馬は、夢の中で見た父の姿を思い出した。

遠目でも人ではないとわかる容姿をしていた。地まで届く若草色の長髪と、そして、額から生えた二本の鹿のような大きな角を持っていた。

「遙はそれを、お守りみたいにずっと大事にしてたんだよ。悠人を産むときも」

祖母が言う。遊馬はこくりと頷いた。

「おれもお守りにするよ。ありがとう」

遊馬は小袋をジーンズのポケットに入れた。

祖父母に手を振り切符を改札に入れる。最後にもう一度振り返り、ぶんぶんと右手を振って、遊馬は長野を後にした。


東京に着くと、自宅アパートに帰るよりも先にがらくた堂に直行した。

店の硝子戸は開いている。中を覗けば、杠葉がいつもどおりにカウンター内で寛《くつろ》いでいた。もちろん客はいない。のんびりしている様子からして怪異相談も入っていないようだ。

「杠葉さん」

呼び掛ける。振り向いた杠葉が「おや」と声を上げた。

「もう帰ってきたの遊馬くん。おかえり。心配しなくてもごはんは食べてるよ」

「そうですか、よかったです。いや、ちょっとおれのほうで早く帰って来たい事情ができまして」

「事情？」

「杠葉さんに相談したいことがあるんです。その、怪異絡みで」

ふうんと呟き、杠葉は読んでいた本を閉じた。

杠葉がコーヒーを淹れている間に、遊馬は皿を用意してお土産の栗きんとんを取り分けた。冷蔵庫を覗くと、作り置きのおかずが三日分なくなっていた。言葉どおりきちんと食べていたようだ。

栗きんとんとコーヒーを持って店に戻り、杠葉はカウンター内に、遊馬は外にスツールを持ってきて座った。おやつを食べながら、遊馬は木原のことと、昨夜の猿の怪異のことを杠葉に話した。

「で、これが猿が置いて行った石です。木原のとよく似ています」

カウンターに赤黒い石を置く。遊馬はこの石から獣の臭いを感じている。

「へえ……ガーネットに似ているけれど、少し違うね」

杠葉は石を摘まみ、明かりに透かした。杠葉の目がきゅっと細められる。

「……おれ、木原の持っていた石が、例の〈御犬の泪〉っていう宝石だと思ったんです。でも、これを置いて行ったのは猿の怪異だったんですよね。だから木原のとこれが同じものだとしたら、あれは〈御犬の泪〉じゃなかったってことになりますよね」

「うん。まあ違うとも言えないけど、犬の怪異ならともかく、猿じゃあ確証は持てないね。それにこの石は、泪と言うより、血の色をしている」

紅葉が石を置いた。血の色、とは遊馬も思っていたことだ。

赤と黒が混じり合う、禍々《まがまが》しい色の石。まるで、血が固まったようだと、ひと目見たときから思っていた。

「とりあえず、今確かなのは、この石に怪異が絡んでいることと、猿の怪異が明確な目的を持って遊馬くんにこれの存在を知らせたこと。それから、木原くんとやらの石とこの石が同じ種類のものだと仮定すると、石が複数存在し、一般人の手にも渡っているということになる」

「……猿の怪異は、なんでおれのところにこの石を置いて行ったんでしょうか」

「さあね。神の子である遊馬くんに、何か伝えたいことがあったんじゃないかな」

「伝えたいこと、ですか」

そう言われたところで猿の怪異の思考など何ひとつ理解できていない。この石の正体すらわからない。

猿の怪異が現れたときに話しかけてみればよかっただろうか。あの猿に会話できるほどの理性があったかは知らないが、杠葉の言うように目的をもって遊馬のところへやって来たのなら、少しくらいは意思の疎通がはかれたかもしれない。

もちろん今だからそう思えるだけで、恐怖で身じろぎひとつできなかったあのときの自分に、怪異への声掛けなど到底できるわけないのだが。

「遊馬くん、御剣くんに電話を掛けてほしいんだけど」

「あ、はい。御剣さんですね」

遊馬は素直にスマートフォンを取り出した。御剣の番号に電話を掛ける。長いコール音のあとで『はいよぉ』といつも以上に気怠そうな声がした。

「えっと、遊馬です。こんにちは」

『はいコンニチハ。なんか用?』

御剣の声に明らかに険がある。「今忙しいですか?」と訊ねると、耳に当てたスマートフォンから大きな溜め息が聞こえてきた。

『あのな、忙しいなんてもんじゃねえんだわ。おれは今、今日が締め切りの記事書いてるとこなんだっての。一分一秒も無駄にできねえの。マジで今日があと五日続いてくんねえかなって神様に真剣に祈ってるとこなの』

「あ、すみません」

謝ってしまった。ライターである御剣にとって今は命を懸けた修羅場であるようだ。きっと相手が遊馬でなければ電話にも出なかっただろう。

「遊馬くん、僕の声も聞こえるようにしてくれる?」

「はい」

御剣が切ってしまう前に急いで通話をスピーカーに切り替えた。御剣がぶつぶつ文句を垂れる声ががらくた堂の店内に響く。

「御剣くん、僕だけど」

ふと、御剣のぼやきが止まる。

『あ?　ああ、杠葉サンか。なんだよ』

「きみ、〈御犬の泪〉って知ってる?」

一瞬沈黙が流れ、『ああ』と返事が聞こえる。

『おたくらも知ってたのか。それな、今オカルト界隈じゃ一番の話題だぜ。知らねえわけねえよ。おれは別件の仕事してたから深掘りしてるわけじゃねえが』

「〈御犬の泪〉の実物は見たことある?」

『直接はねえけど、写真でならあるぜ。仕事仲間に見せてもらったんだ』

「なら訊くけど、〈御犬の泪〉ってガーネットに似た赤黒い色をした石？」

また沈黙が流れた。

探るような静けさのあと、御剣の声が返ってくる。

『……そのとおりだが、なんで知ってる？』

「今うちに、おそらくそれらしい実物があるから。僕の目の前にある」

通話が切られた。

杠葉がのそりと立ち上がって新しいコーヒーを淹れに行く。遊馬もスツールをもうひとつ取りに向かい、カウンターの横に並べた。

十分後、外でエンジン音が轟いた。店の前にドラッグスターが急停車する。ヘルメットを外した御剣がバイクから下り、長髪をハーフアップに束ねながら店内に入って来た。今日も変わらずトレードマークのスカジャンを羽織っていた。

「おい、さっき言ってたこと本当か？」

やって来るなり御剣は乱暴にそう言う。カウンターでコーヒーを飲んでいた杠葉がちらと視線を向ける。

「きみ、忙しいなんてもんじゃないんじゃなかったの？」

「んなもんどうでもいいわ。なあ、〈御犬の泪〉持ってんのかよ」

遊馬は、スツールが並び、すでにコーヒーも用意されているカウンターへ御剣を案内した。石ももちろん置いてある。

御剣は赤黒い石を、最高級のエメラルドでも目にしたかのような視線で見つめている。

「間違いねえ。〈御犬の泪〉だよ。おれが写真で見たのとそっくりだ」

「なるほどね。じゃあ遊馬くんの予想どおり、この石が噂の宝石だったんだね」

「おい遊馬チャン、これ臭いするか?」

御剣がばっと振り返る。遊馬は首を縦に振った。

「ええ。獣みたいな臭いが」

「じゃあマジもんの犬神の宝石ってことじゃねえか!」

ショルダーバッグからカメラを取り出すと、御剣は石の写真を撮り始めた。

杠葉は残っていた栗きんとんを口に運んでいる。遊馬はとりあえず、立ちっぱなしの御剣をスツールへ座らせる。

「ところで、これどこで手に入れたんだ?」

数十枚の写真を撮ったところで満足したらしい御剣が、コーヒーを一気飲みし杠葉に問いかけた。

「買ったのか」

「いや。そうじゃない」

「ほお、なら依頼か」

「違うよ。遊馬くんが持ってきたんだ」

「遊馬チャンが？」

御剣が怪訝《けげん》な顔を向ける。遊馬はへらっと笑い、事の経緯を説明した。

「というわけで、その猿が置いて行ったのがこれなんです」

話し終えると、御剣は眉間に深い皺を寄せ、珍獣でも見るかのような目を遊馬に向けた。

「まじかよ。相変わらずとんでもねえな遊馬チャン……羨ましすぎるぜ」

「おれとしては代わってほしいくらいなんですけど」

「んだよ、自慢か？　チクショー」

「違いますって」

「とにかくだ」

と杠葉が言う。

「本物の怪異が絡んだ石が一般人に流出してしまっているのはあまりいい状況ではない。〈御犬の泪〉は幸福を招くと言われているようだけど、僕にはどう見てもこの石が幸せの石には思えない」

杠葉が指先で石を弾《はじ》いた。ころんと転がった石は、店に入る陽光をわずかも反射していなかった。似た色味のガーネットならば美しい宝石であるのに、遊馬はこの石を見ても、綺麗だなどと少しも感じない。

「〈御犬の泪〉を売っている神飼いって奴のことだが」

御剣が話し始める。

「実際に犬神を飼っているというのは、神飼い本人が買い手たちに話していることのようだ。客の中には実物を見せてもらったって奴までいるらしい」

「機密事項ってわけではないんだね」

「ああ。だがおれが知ってる情報では噂止まりで、本当に見たって奴に会ったわけじゃねえから、真偽のほどはわからなかったが……一般人の持っていた〈御犬の泪〉からも怪異の臭いがしたってんなら、神飼いが犬神を飼っているってのは本当かもしれねえな」

御剣の言葉に杠葉が頷いた。

「本当だとしたら、神飼いは犬神という強力な物の怪《もののけ》を思うままに操っているってことになるね」

「売れるほどに宝石を生ませてんだからそうだろうな」

「そんなことができるということは、神飼いが元々犬神憑《つ》きの一族であるか、それとも」

「それとも？」

「物の怪を捕らえ自在に操る方法を用いているか」

杠葉の発言に、遊馬はぎょっとして目を見開いた。

「そんな方法があるんですか？」

「さあね。封じる術ならともかく、操るとなると、少なくとも僕は聞いたことがない」

「おれもだな」

「ただ、可能性がないわけではないと思う。この世には思いもよらない不思議なことがたくさんあるからね」

妖しげな笑みを浮かべる杠葉に、遊馬は歪《いびつ》な苦笑しか返せなかった。

人間が怪異を操るなど信じられない話だ。しかし、杠葉の言うようにありえないとは言い切れない。何が起こるかわからない。何が起きてもおかしくない。それこそが怪異の世の理なのだ。実際に信じられないようなことを、遊馬はいくつも経験してきた。

「よし。行くしかねえな」

御剣がカウンターを強く叩いた。

「行くってどこへ？」

問いかけると、御剣は呆れた様子で鼻の頭に皺を寄せる。

「決まってんだろ。神飼いの拠点にだよ」

「拠点って、長野ですか」

「そうだよ。神飼いの正体も、〈御犬の泪〉をどう生産してんのかも、犬神も、この目で見て確かめんのが一番早ぇだろ」

御剣は、遊馬の皿の栗きんとんをひとつ摘まんでから立ち上がる。

「おれぁ今から死ぬ気で今日までの仕事仕上げるから、明日行こうぜ。おたくらどうせ暇だろ」

「でも御剣さんって、もう話題になってるようなことには興味ないんじゃなかったです？」

「馬鹿野郎。こんな目の前に餌ぶら下げられて飛びつかない奴がいるかよ」

「まあ、御剣さんが一緒に行ってくれるっていうなら心強いですが……」

遊馬は杠葉を見た。

杠葉は、一度目を閉じて小さく息を吐いた。

「そうだね。今は他に依頼もないし、情報収集は現地に赴くのが一番だ」

「よっしゃ。んじゃ明日の朝また来るから。寝坊すんじゃねえぞ」

「御剣さん、お仕事頑張ってくださいね」

「任せな」

御剣は手を振るととっとと店を出て、バイクに跨《またが》り颯爽と去って行った。エンジン音が遠ざかる。

「おれ、今日長野から戻って来たばっかりなんですけど」

呟くと、杠葉がふふっと笑った。

「仕方ない。遊馬くんがかかわってしまった以上、何があるかわからないから先延ばしにするわけにもいかないし」

「なんか、すみません。お客さんからの相談でもないのに」

「気にしなくていいよ。御剣くんも楽しそうだったじゃない」

紅葉がコーヒーをひと口飲んだ。遊馬も真似して、まだ半分ほど残っていた自分のカップに口を付けた。すっかり冷めてしまっていたが、紅葉の淹れるコーヒーは冷めても美味しい。

「ところで、遊馬くんのところに来た猿の怪異だけれど」

コーヒーカップを手にしたまま紅葉が言う。

「この石が〈御犬の泪〉と分かった以上、猿の怪異がこの石の作り手であるという可能性はほぼないと言っていい。なら、猿の怪異がこの件にどうかかわってくるのか」

「そうなんですよね。猿と犬って、犬猿の仲っていうくらい相性悪い動物だし」

「うん。だから、可能性のひとつとして挙げられるのは、その猿が、この石の作り手である犬神の天敵だということ」

「天敵……ですか？」

「犬神が猿の天敵とも言えるかもしれない。だから猿の怪異は、犬神が神飼いに飼われていることを遊馬くんに伝え、犬神を殺して欲しいと訴えていたのかもしれないね。人間が絡んでいるなら同じ人間にやらせるのが手っ取り早いし」

なるほど、と遊馬は思う。あり得る話だ。怪異同士で食い合うところを目の当たりにしたことならある、あの猿が犬神を狙っているとしても不思議ではない。

……ただ、どうにもしっくりこなかった。自分でも理由がわからないのだが、そうではないような気がしてしまう。

昨夜、遊馬のもとに現れた猿の怪異に、そのような感情など、なかったように思うのだ。

「もうひとつ考えられるのは、猿と犬神が、仲間であるということ」

杠葉が言った。遊馬ははっとする。

「仲間？　犬と猿なのに？」

「相性が悪いというのはあくまで一般論だよ。あの猿の怪異と犬神は仲が良かったのかもしれない。そして猿が、神飼いに捕らわれた仲間をどうにかして助けようとしていたら」

「犬神を、救ってくれと、おれに言いに来たってことですか」

「その可能性もあるという話だ」

どちらかと言えば天敵論のほうがあり得るだろう。だが遊馬は、後者のほうがすとんと胸に落ちた。

感情など読めるはずもない怪異の黒い目玉の奥に、切実な願いが浮かんでいたことに、今になって気づいたのだ。

そうか、あの怪異は手を貸して欲しいと頼むため、遊馬の前に現れたのか。

「……怪異から怪異相談を受けたのは初めてです」

そう言うと、紅葉は珍しくからからと笑った。

「確かに怪異相談だね。依頼が入ったからには僕も真面目にやらないと」

「え、紅葉さん、真面目にやるつもりなかったんですか?」

「なかったような、あったような」

とぼける紅葉に、遊馬は大きな溜め息を吐いた。

カウンターの上の〈御犬の泪〉を拾い上げる。青い絹の小袋にしまい、袋の口をきゅっと閉じた。

○

翌朝、いつもの出勤時間よりも随分と早い、午前六時に店に着いた。遊馬が到着したとき、すでに御剣もやって来ていた。

御剣は見事に仕事を終わらせ、昨夜のうちに神飼いの事務所の住所を手に入れていた。場所は長野県松本市《まつもと》。松本駅から少し離れた住宅地にあるという。

目的地までは杠葉の運転で行くことになった。勝手口から店の裏手に回り、そこに停めてある杠葉の愛車、紫のマーチボレロに三人で乗り込む。

杠葉は普段持ち歩いている鞄のほかに、紙袋をひとつ後部座席に置いていた。中身を問うと、あまりにもあっさりと「一千万円」という答えが返ってきて、遊馬は腰を抜かしそうになった。

「い、一千万円って、何するつもりですか」

「だって〈御犬の泪〉って一千万円って言ったでしょ。石を買いに来たと言えば目当ての神飼いとやらにスムーズに接触できるかと思って」

「そうですけど……昨日の今日でよく用意できましたね。てか一千万円をおれのお土産の紙袋に入れないでくださいよ」

「他にちょうどいい袋がなかったから」

「やるじゃねえか杠葉サン。それでこそおれの見込んだ男だぜ」

「どうも」

杠葉は運転席に、遊馬は助手席、御剣は後部座席に座った。松本駅をカーナビの目的地に設定し、時刻が六時半になる前にボレロは発進する。

道中、御剣が神飼いについて得た情報を共有した。神飼いとは『極彩会《ごくさいかい》』と名乗る組織の会長であるようだ。

極彩会とは、以前は姑息《こそく》な霊感商法をやっていた、ただの詐欺まがいの小規模な組織であったらしいが、一年前から〈御犬の泪〉を販売するようになり、様子が変わった。〈御犬の泪〉の持ち主は本当に幸運を得るという噂が広まって、資産家や権力者たちが内密に宝石を買いに来るようになったのだ。今や極彩会は政界の大物や大企業の経営者などとも繋がりがあるという。それゆえに警察も手出しできないほどの存在になってしまった。

「名を聞けば目ん玉引ん剝《む》くような有名人が極彩会の顧客だ。そんな奴らに支持されてるってことはつまり〈御犬の泪〉の効能が本物だってこと。実際にあの血みてえな宝石は、持ち主に依存性を与えるほどの幸運をもたらしているのさ」

極彩会がどういった経緯で犬神を手に入れたかは不明だった。一年前までは、極彩会の会長はインチキ霊能者を名乗っていたに過ぎない一般人であり、遊馬のような特殊な体質を元々持っていたわけではない。

ただの人間が強力な怪異を意のままに操るということに、どうも不穏なものを感じてしまう。

遊馬は昨日、犬神について簡単に調べていた。神、と名は付くが実態は動物霊を使った憑き物であり、おもに犬の霊を呪物として人に憑依《ひょうい》させるものとして伝わってきたようだ。

犬神の憑いた人間は『犬神持ち』と呼ばれた。犬神信仰は古くから各地に存在しており、言い伝えも様々あるが、憑いた者を祟《たた》り殺すこともある一方、犬神持ちの家に幸運を運び栄えさせることもあったという。

犬神の起源もいくつか説があり、中には蠱毒《こどく》の術式を汲《く》む残酷なやり方で呪物を生み出す方法もあった。それで本当に犬神が生まれたのかは知らないが、その方法が信じられ行われていたことは事実だろう。人間という生き物の思考は、時に怪異よりも恐ろしいものであると遊馬は思った。

犬神とは禍福を招く存在である。憑いた者に幸も不幸ももたらす。

しかし神飼いは、犬神を意のままに制御し、〈御犬の泪〉という恩恵の結晶を生み出させている。

つまり、神飼いの犬神は、祟り神ではなく守護神として、神飼いに恵みだけを与えているということだ。犬神が自ら神飼いに憑いているのなら違和感のないことであるが。

……もしも、犬神が猿の怪異の仲間であり、猿が犬神を助けようとしているのならば。犬神はその意思に反し神飼いに捕らえられた可能性がある。それなのに神飼いに益をもたらすとは考えにくい。

「怪異を捕まえて操る方法について、何かわかりましたか？」

遊馬が問うと、杠葉は首を横に振った。

「祖父の文献を読んでみたけれど、まだ何も摑めていないよ。さすがに一晩じゃ時間が足りない」

「そうですよね……そもそもそんなものが実在するのかもわからないし」

「うん。でも昨日も言ったけどなくはない話だ。たとえば孫悟空の着けている緊箍《きんこ》児《じ》だって広い意味で言えば当てはまる」

「孫悟空の、ですか」

遊馬は本で見たことのある西遊記の絵を思い浮かべる。緊箍児といえば三蔵法師が孫悟空の頭に着けた金の輪のことだ。あれは確か、呪文を唱えることで輪が締まり、孫悟空を抑止できる代物だった。

もちろん物語の中の物であるが……遊馬の見ている世界は、まさしく他の人々が空想としか思わない物が存在し、起こる世界なのだ。

「何にしろ、確かめてみないことにはわからない」

杠葉が言った。ボレロは昭和のアイドルの曲を流しながら、中央自動車道を走り抜ける。

途中で休憩を挟んで約四時間。松本駅近くのコインパーキングに車を停めた。遊馬の荷物を枕にして寝ていた御剣を起こし、三人で極彩会の拠点まで歩いて向かう。

「こっから歩いて、十五分ってとこだな」

御剣も来るのは初めてのはずだが、地図も見ずに自信ありげに遊馬たちを誘導した。しばらく行くと、案の定、道がわからなくなったようだった。

「予習したんだがな」

「もう御剣さん。住所教えてください、おれがナビしますから」

遊馬はジーンズのポケットからスマートフォンを取り出した。ナビを起動し、御剣の言う住所を打ち込んでいく。存外惜しいところまで来ていたらしく、目的地はあと五分も歩けば着く距離だった。

そのとき、

「あの」

と、声を掛けられ振り向いた。

見知らぬ若い男が立っていた。遊馬と同じくらいの歳だろうか、黒髪に黒いパーカーを着ている、涼しげな顔立ちの青年だった。

「これ、あなたのじゃないですか？」

遊馬は青年の手元を見る。青い絹の小袋があった。スマートフォンを取り出すときに一緒にポケットから落ちてしまったようだ。

「あっ、おれのです！　すみません、ありがとうございます」

「いえ」

青年から小袋を受け取った。中には硬い感触がふたつ。鹿の角の欠片と、猿の怪異が置いて行った〈御犬の泪〉も入れてある。

「大切なものなら、落とさないように気をつけたほうがいいですよ」

「はあ、そうですね」

青年はにこりと微笑んで踵を返した。遊馬はなんとなく、青年の背をじっと見つめる。

「遊馬チャン、どうした」

「あ、すみません」

御剣に呼ばれ、遊馬は青年と反対方向へ歩き出した。

ナビの示す道のとおりに行くと、なんの変哲もない住宅街にある一軒の建物に辿り着いた。キューブ型をした三階建ての建物だ。一階は大半がガレージになっており、高級車が二台停まっていた。表札や社名などは出ていない。窓が少なく、外から中の様子を窺うこともできない。

「ここ、ですか」

もっと宗教感を出した建築を想像していたが、一見するとごく普通の金持ちの家であった。しかし軽く見回すだけで見つけられる監視カメラの数は、一般の家と言うにはやや異様だ。

ふと、敷地の端に膝丈ほどの石柱が立っているのに気づいた。よく見ると表面に奇妙な文様が彫られている。反対側の端にも同じものがあった。インテリアの一種だろうか。それにしては建物の雰囲気に合っていない。

「御剣くんは外で待っていてくれないかな」

建物を見上げながら杠葉が言うと、御剣は顔を顰めた。

「なんでだよ。おれも行きてえんだけど」

「何があるかわからないから、相手に面の割れていない人間がひとりいたほうがいい」

「まあ確かにな。ったく仕方ねえな……」

御剣は先ほどから監視カメラに映らないようにしている。遊馬と杠葉は、すでにカメラに捉えられているだろう。

「おれはここで待ってる。気ぃ付けて行ってこいよ」

車道越しにある電信柱に寄りかかり、御剣はひらひらと手を振った。

遊馬は玄関ポーチに向かう杠葉に付いていく。グレーのドアの横にインターフォンがあり、杠葉は躊躇わず呼び出しボタンを押した。

――ぴんぽーん。

音が鳴り、しばらくして女性の声で『はい』と応答がある。

「〈御犬の泪〉を買いに来ました」

インターフォンに向かい杠葉は言った。

『少々お待ちください』

そう返事が聞こえ、通話が終わる。

「……杠葉さん、随分ストレートに言いましたね」

「他に何か言い方がある？」

「ないですけど」

　遊馬たちはその場で五分ほど待たされた。無視されているのかと思い始めた頃、施錠が外される音がして、グレーのドアが開いた。

「大変お待たせいたしました。ようこそ極彩会へ。中へどうぞ」

　出てきたのは四十代ほどの身なりのいい男性だった。髪をワックスで整え、皺ひとつない、光沢のある黒いスーツを纏っている。

　招かれるまま建物内に足を踏み入れた。一階はオフィスになっているようだった。白を基調とした明るい空間にデスクが並び、数人のスタッフが働いている。

「ようこそ極彩会へ」

　立ち上がったスタッフたちは、声を揃えて言い、こちらに向かって機械のようなお辞儀をした。遊馬はへこりと頭を下げ、先を行く杠葉を小走りで追いかける。

　スーツの男性に案内され二階へ向かった。訊いてもいないのに、二階が会長のオフィスであり、三階は自宅であると男性に教えられた。

　通されたのは、多様な調度品の並ぶ広い応接間のような部屋だった。趣味が悪い、と遊馬はまず思った。一階のインテリアはシンプルで落ち着いていたのに、ここはカーペットから棚、置物、絵画に至っても、置かれた物に統一感がなく猥雑《わいざつ》とした印象を受ける。

「間もなく会長が参りますので、こちらにお掛けになってお待ちください」

会長の秘書だと名乗った男性に言われ、革張りのソファに腰掛けた。今度は先ほどよりも長く、十分ほど待たされた。遊馬は、そろそろ外にいる御剣が待ちくたびれ、殴り込みに来やしないだろうかと心配になってしまった。

「遊馬くん、この建物、臭いはする？」

秘書が離れたタイミングで杠葉がこそりと訊いた。

「いいえ。今のところ何も」

「そう」

やがて奥の部屋から、グレーヘアを撫でつけた、恰幅のいい初老の男性が現れた。いかにも成金といった風情で、両手にメリケンサックのように重々しい指輪を着けていた。

だが、一番に目に付くのは悪趣味な指の宝石ではなく、胸元にあしらわれた金の装飾のブローチだった。中央に赤黒い石が嵌《は》められている。〈御犬の泪〉だ。

「お待たせいたしました。極彩会会長、そして神飼いの大和田《おおわだ》と申します」

初老の男性は、テーブルを挟んだ向かいのソファに座った。

「どうも。僕は東京でいくつかマンション経営をしております、杠葉と申します。彼は僕の秘書です」

「あ、遊馬と申します」

遊馬がぺこりと頭を下げると、大和田は張り付いた笑みをこちらに向けた。

こっそりと鼻を鳴らす。大和田の着けている〈御犬の泪〉の臭いはするが、大和田自身からそれ以上の怪異の臭いはしてこない。

「杠葉様は〈御犬の泪〉をご購入希望とのことで」

「ええ。知人から話を聞きまして、僕もどうしても欲しくなり伺いました。聞いた金額では、これで足りると思うのですが」

杠葉が一千万円の入った紙袋をテーブルに置いた。大和田は金を見ても特段反応することなく、作り物めいた笑顔を浮かべ続けている。

「数えさせていただいてもよろしいでしょうか？」

「もちろんです」

大和田が指示すると、秘書が紙幣カウンターを運んできてその場で札を数え始めた。

機械が高速で札束を弾く音が響く。その横で、杠葉が大和田に訊ねる。

「僕の素性や、どこから〈御犬の泪〉の情報を得たかなどはお訊きにならないんですね」

大和田は「ええ」と頷いた。

「私は、宝石を欲する方であればどなたにでもお売ります。我が極彩会は、人々に安らぎと幸福をもたらし、すべての人生を明るく彩ることを活動の目的としておりますから。〈御犬の泪〉はまさしく我らの理念を結晶化した宝石。私は、少しでも多くの方にこの宝石をお渡しし、たくさんの幸せを与えたいのです」

「そうですか。崇高な志ですね」

「いえ、それほどでもございません。私はただ、福を与える役目として選ばれただけですから」

笑みを崩さないまま大和田が言った。

紙幣を数え終わる。テーブルには五百万円ずつの束がふたつ並んでいる。

「間違いなく。では、〈御犬の泪〉をお持ちしましょう」

一旦別室に下がった秘書が、黒いトレイを手に戻ってきた。トレイには五つの宝石が並んでいる。

「どうぞ。お好きなものをひとつお選びください」

トレイがテーブルの真ん中に置かれた。

遊馬は咄嗟に鼻を押さえかけて、ぐっと堪えた。

五つの宝石すべてから獣の臭いがしている。全部、本物の犬神の石だ。

「美しいですね」

杠葉が右端のひと粒を手に取り、天井のライトにかざす。

「でしょう。深みがかった赤が神秘的で、他のどの宝石とも違う」

「でもなぜ赤いのに泪と？」

「それはもちろん、犬神が瞳から流した物であるからです。この宝石は、私の飼う犬神が生み出したもの。ただの宝石などではない、人智を超えた奇跡の石なのです」

大袈裟に語る大和田に、杠葉は笑みを浮かべて相槌を打った。持っていた石をトレイに戻す。

「この石が、本物の犬神の涙であると証明はできますか？」

不敵な笑みを湛《たた》えたまま杠葉が問う。大和田も笑顔を崩していないが、わずかに口元を引きつらせた。

「ただの石ではないと、信じられないと？　〈御犬の泪〉のご利益はすでに多くの方に実感いただいております」

「〈御犬の泪〉の効果を疑っているわけではありません。ただ、目の前に並ぶこの石が本当に〈御犬の泪〉であるのか僕には判断ができない。安い買い物ではありませんから。確証が欲しいのです」

「私は贋物《にせもの》をお譲りするような卑しい真似は致しません」

「ええ。僕が疑り深いだけです」

大和田は笑みを消していた。内心を窺うように杠葉を見つめている。

遊馬には、大和田が出した石が本物であることはわかっていた。当然、遊馬がいれば真贋の判定など容易いことは杠葉も承知している。

ならば杠葉が大和田に問うわけは。

「実は、遊馬くんも〈御犬の泪〉を持っているのです」

杠葉の発言に、大和田がぐっと眉を寄せた。

「なんですって？」

「遊馬くん。見せてあげて」

「あ、はい」

遊馬は青い絹の小袋から赤黒い石だけを取り出しテーブルに置いた。大和田は石をじっと眺め、「手に取っても？」と訊いてから遊馬の石を拾い上げる。

「……これは、本物の〈御犬の泪〉ですね」

「あなたから購入した物ではございません。とある経緯で手に入れまして、遊馬くんも僕も、その石が間違いなく犬神の生み出した宝石であることを知っています」

「別のルートで？　いや、しかし」

「あなたの宝石は、本物の犬神の涙でしょうか」

紅葉が問う。

大和田は数呼吸の間を置いて、長い溜め息を吐き出した。

「いいでしょう。普段は一見《いちげん》のお客様にはお見せしないのですが、あなた方には特別に、私の飼い犬をお見せします」

付いて来てくださいと、大和田は立ち上がる。

大和田はまず階段で三階にのぼった。ちらと振り向くと、後方からは秘書が付いて来ていた。

三階にあるドアの先は広い玄関があった。奥は秘書の言っていたように私生活のスペースとなっているようだ。

しかし大和田は自宅に上がらず、玄関の横にあったエレベーターに遊馬たちを案内した。エレベーターにもロックが掛かっており、指紋認証でドアが開く仕組みになっていた。

大和田と杠葉と遊馬、秘書の四人でエレベーターに乗り込む。階数ボタンは三階と地下のふたつしかない。

大和田は地下のボタンを押した。エレベーターはゆっくりと下降し、停止したところでドアを開けた。

地下は、ひとつの広い部屋となっていた。蛍光灯が灯《とも》っており暗くはないが、空間全体を照らすには灯りが足りていない。床も天井も壁もコンクリートが剝き出しの、牢《ろう》のような、薄ら寒い空間だった。

「うっ……」

地下に着いた途端、遊馬は唸って息を止めた。獣の臭いが充満していた。

臭いの元は、やはり地下に着いたその瞬間から、判明している。

「私の大事な大事な飼い犬です」

大和田が腕を伸ばした。

地下室の奥に、サイほどの大きな犬が鎖で繫がれていた。全身の毛は白く美しく、だが毛並みは酷く荒れている。

琥珀《こはく》の瞳孔の目玉は血走り飛び出していた。牙を剝き出した口元からは、絶えず涎《よだれ》が溢れている。

——犬神。

しかし。

目の前に在るのは間違いなく、怪異と呼ばれる存在であった。

「ヴ……ヴヴ……ゔぅ……ヴぅう……」

ばたばたと床に涎が落ちる。犬神が爪を搔くたびに、壁に固定された太い鎖がぴんと張る。

鎖は犬神に嵌められた首輪に繫がっていた。金色の環を帯する犬神の首は、体軀に比べ、異様なまでに細かった。

首輪を締めた箇所だけが人の首よりも細まっている。頭部と胴とが千切れてしまいそうなほどだ。なんだあれは。あれが犬神という怪異の本来の姿なのか。

そんなわけがない。

首輪が犬神の首を締めている、のだ。

緊箍児、と杠葉が言っていたことが脳裏に浮かぶ。まさか本当にあるのだろうか。締め付け、力を奪い、自由を奪い、意思までも奪う首枷《くびかせ》が、あるのだろうか。それを嵌められ、犬神はここに囚われているのか。

「この犬神は、どうやって手に入れられたんですか」

杠葉の問いかけに「捕獲しただけですよ」と大和田は答える。

「この子は高知県のとある山に棲んでおりましてね。この獣の涙に、願いを叶える効能があると知り、多くの人を幸福にするために捕獲することを決めたんです」

「ただの獣ではない。霊獣をどうやって捕まえられたんですか」

「ふふ。詳細はお話しできません。あなた方が〈御犬の泪〉の入手方法を教えてくださらないように。でもね、まあ、あるんですよ。こういったものを捕まえられる道具が。この世には」

大和田は真っ白な歯を見せて笑った。遊馬は無意識に、ポケットに入れた小袋を握り締めていた。

「おお、よしよし。さあ、今日も人々に幸福を与えておくれ」

「ヴゥヴ……ヴぅうヴ……！」

大和田が近づくと、犬神は鼻先に皺を寄せて唸り出す。今にも飛びかかりそうに見えるが、巨軀は身震いするばかりで大和田を襲おうとしない。

「ほら、泪を流しなさい」

大和田が言う。犬神の首元の肉が、首輪に食い込んでいくのが見えた。

飛び出した目玉の下部に、じわりと赤黒い血が滲んでいく。血は少しずつ溜まり、やがて雫《しずく》がひとつ落ちた。ころん、と。血の涙は結晶となり、爪痕だらけの床の上を転がった。

「呪物としてではなく、守り神としての役割を担うために生まれた犬神は、稀に瞳から涙を流す。その雫は美しい宝石となって、持つ者の望みを叶える。とある筋にのみ知られる話です」

大和田が生成されたばかりの〈御犬の泪〉を拾い上げる。

「さて、信じていただけましたでしょうか」

遊馬は杠葉を見上げた。杠葉は表情を消し、大和田を見ていた。

「ええ、もちろん。貴重なものを見せていただきありがとうございます。そちらの宝石を買わせていただきます」

「そうですか。こちらこそありがとうございます。あなたに犬神のご利益が訪れますように」

大和田は杠葉の手に〈御犬の泪〉を落とした。犬神の目からはまたひとつ、もうひとつ、赤黒い宝石が生まれていた。

「そうそう、遊馬さん、とおっしゃいましたか」

　ふと、大和田の視線が遊馬に向く。

「あ、はい」

「もしかして、あなたも怪異が身近に存在する環境で生きてこられたんですか？」

　大和田が問う。

　遊馬は唇を引き結び、首を横に振る。

「いいえ。初めて見ました」

　そうですか、と大和田は呟いた。遊馬たちは〈御犬の泪〉を手に、犬神のいる家を後にした。

○

　その日は松本駅近くのビジネスホテルに泊まることにした。夜、風呂に入り終えたところで杠葉の部屋に集合し、犬神のことを話し合った。

「どう見ても犬神は自分の意思であそこにいるわけじゃなさそうでしたね」

　壁にもたれてしゃがみながら、遊馬は昼に見た光景を思い出していた。

身が竦むような光景だった。怪異に恐れを抱くことは数え切れないほどあったが、今回ばかりは人間の所業のほうが怪異よりもはるかに恐ろしいと感じる。

「そうだね。自我はあるが、大和田の言葉に逆らえないようになっているみたいだった」

椅子に腰掛けた杠葉が言うと、まるで自分の部屋であるかのようにベッドに寝そべる御剣が「ほええ」と間の抜けた相槌を打った。

「その犬が着けられてたっていう首輪が、怪異を操る呪物ってことかよ」

「おそらくね。獣の怪異相手に限るのかもしれないけれど」

「とんでもねえ代物だな」

御剣はそう言いながら大きな欠伸《あくび》をする。

「……で、これからどうするよ」

涙目になった御剣の視線が遊馬に向いた。遊馬は少し目を伏せ、膝に置いた自分の両手を見つめる。

どうするか。選択としては、このまま何もせず東京に帰る道もある。疑問は多く残っているが、この件自体は遊馬たちに直接影響するものではない。大和田も、「多くの人を幸福にする」という言葉の裏の本心はどうあれ、少なくとも人間に害を与えるつもりはなさそうだ。あくまで金儲《もう》けの道具として犬神を使っているのだろう。

ただ。

人の業の範疇《はんちゅう》を超えていても、それを諫《いさ》めるのは遊馬たちの役割ではない。

「おれは、できるならあの犬神を解放してやりたいです」

目の当たりにした光景を忘れることはできない。己のすべてを踏み躙《にじ》られた獣の
姿も。それを伝えに現れた、もう一体の獣のことも。

手に余ることだとは理解していても、どうにかしてやりたいと思ってしまう。

「解放っつってもよ、その首輪は簡単に外せそうだったのか？」

呆れの混じった調子で御剣に問われた。遊馬は首を傾げる。

「……どうでしょう。あんまりきちんと見られていないのでわかりませんが、金属
っぽかったので壊すのは難しいかもしれません。正しく外す方法は、きっとあるに
はあるんでしょうが」

「やり方がわからねえってことか。つか、大体そういう代物は着けた奴にしか外せ
ねえようにできてんだよな」

「ですよね……」

「犬神を移動させられないならその場で大和田の目を盗んでぶっ壊すか、大和田を脅して外させるかのどっちかだろうよ」

「お、脅して?」

「壊すのはともかく脅すのは難しくねえよ。ただな、遊馬チャン。その犬神とやらはおそらく人間を憎んでるぜ。解放したところで犬神がおれらに害を及ぼさないとは限んねえ。そのことはわかってんだろうな」

「それは……」

御剣の言うとおりである。解放したいと言うのは簡単だが、実行するのはあまりにも難易度が高い。

遊馬はちらと杠葉を見た。

杠葉は椅子の背にもたれて腕を組んでいる。「僕は」と、黙したあとで口を開く。

「遊馬くんのしたいことに従うよ。多少なりともかかわったんだ、やれるだけのことはしよう」

「杠葉さん……いいんですか」

「珍しいな杠葉サン。おたくは依頼でもなけりゃこういうの面倒臭がるタイプじゃねえか」

「まあ一応依頼だからね。遊馬くんが受けたものだけれど」

「はあ？」

御剣が声を上げた。杠葉はくすりと笑う。

「それで、御剣くんはどうするの？」

「そりゃもちろん、命の危険がない限りは面白いもんを追い求めるぜ」

「きみも大概変わってるよ」

「あんま褒めんじゃねえよ」

とりあえず、首輪を壊すにしても外すにしても、情報を得るにとどめるにしても、もう一度大和田のもとへ行く必要がありそうだ。訪ねるだけならばなんとでも理由を付けられるが、再度犬神を見せてもらうことは容易ではないだろう。下手を打つと怪しまれ、二度と犬神に近づけなくなる可能性がある。

「なんか大和田が食いつくような餌がありゃ手っ取り早いんだがなあ」

御剣がぼやく。

「そういえば」と杠葉が遊馬を見た。

「彼は遊馬くんに興味を持っていたね」

「そうなのか？　大和田ってのは変わった趣味してんのな」

「ちょっと変なこと考えないでくださいよ。おれが〈御犬の泪〉を持ってたからって話ですよね」

「うん。たぶん遊馬くん本人にもだろうし、遊馬くんの〈御犬の泪〉の出所も気になってるんじゃないのかな」

「おれ自身が餌になるってことですか……」

遊馬は右手の親指を唇に寄せた。杠葉が考え込むときの癖を知らず真似していた。

自分を出しに接触する。やってみる価値はあるだろう。単なる客としてではなく、遊馬を利用できる存在と大和田に認識させ、上手く取り入ることができれば、もう一度犬神に会えるかもしれない。

「んじゃ、ひとまず明日もう一度行ってみるとするか」

枕をぼふりと叩く御剣に、遊馬は頷いた。

「ですね。なるべく早く方を付けたいところですから、首輪の写真をこっそり撮るくらいのことができればいいですけど」

「おい、弱気だな。明日首輪を外して犬神を解放してやるぜくらいのこと言えよ」

「言いたいですけど、外し方がわかりませんから。まずは首輪について探るところから始めないと」

「そのことなんだけど」

と杠葉が言う。遊馬と御剣は揃って視線を杠葉に向ける。

「杠葉さん、何か知ってるんですか?」

「いや、首輪についてはわからない。撫子さんもわからないと言っていたし、広く知られているものじゃないみたいだね。だから正しい外し方はわからないんだけど、壊してしまう方向なら、これ使えないかなと思って」

杠葉は自分の鞄から、細長い三角の形をした布の包みを取り出した。底辺側は布が折られ、口が紐で閉じられている。

「犬神が何かに封じられてるかもって思ったから、使えるかもしれないと一応持ってきていたんだよ」

杠葉が紐を解くと、遊馬はかすかな怪異の臭いを感じ取った。

包みから出てきたのは、酷く錆《さ》びついた鋏《はさみ》であった。

「なんだよこれ」

「裁ち鋏だね」

「紙も切れなさそうなんだが」

御剣が顔を顰める。確かに、鋏は持ち手から刃先まで全面が赤茶けてざらついていた。錆のせいで刃が閉じきらないからか、中心のねじは少し緩められており、持つと今にも壊れそうなほどがたついた。

しかし、怪異の臭いがする。ただの鋏ではないらしい。

「前に、うちの地下倉庫から鮫の怪異の左目を持ち出したことがあったでしょう。あれと一緒に保管されていた鋏だよ。鮫の左目は危険なものだから厳重に封印されていて、簡単には封が解けないようになっていた。その封を唯一切れるのがこの裁ち鋏だった」

がらくた堂の地下倉庫には、杠葉の祖父が蒐集した本物の怪異の宿る品が多く眠っている。

あまりの臭いに遊馬は地下に立ち入ることができないほど、そして、何があるのか聞くのも恐ろしいほど、尋常ではない品々がそこには収められている。

「せっかく厳重に封じられてるのに、封を解ける道具をそばに置いてちゃ意味ねえだろうよ」

「そりゃあ、元々保管していたのは僕の祖父だからね。あの人の考えることはわからないよ。で、この裁ち鋏、普通の物は切れないんだけど」

杠葉が鋏を開いて刃先を遊馬に向けた。遊馬は思わず身を引いてしまった。

「封じのまじないの類であれば、なんでも切ることができるらしい」

ざり、と、刃を閉じると鋏らしからぬ音が鳴った。

「封じのまじないってことは、あの首輪もですか」

「曰くのとおりならおそらく。あの首輪も封じる物のひとつだと思うから。ただ、目玉の封印にしか使ったことがないし、あれは紐とお札だったからね、金の首輪も切れるという保証はないよ」

「……切れなかったら」

「試すところを大和田に見つからなければ問題ないけれど、もしも見られたら、犬神どころか大和田にさえ二度と近づけないと考えたほうがいい」

つまり、情報が足りない現段階でこの鋏を使うのは一か八かの賭けであった。

「……急いで勝負に出る必要はありませんよね」

「そうだね。慎重に行くのもありだと僕は思うよ」

「一応、持って行くだけ持って行く、ってことで」

「わかった。そうしよう」

杠葉は裁ち鋏を包みに仕舞った。

御剣が大きな欠伸をする。

「んじゃ、明日に向けて寝るかあ。杠葉サン、部屋戻るの面倒だからここで寝てもいい？」

「駄目」

　御剣は唇を尖らせながら部屋を出て行く。

「じゃあ、おれも戻りますね」

　そう言って立ち上がったとき、ふとテーブルの上に転がしてある石に気づき、出入り口に向けようとしていた足を止めた。

「杠葉さん、その〈御犬の泪〉、おれが持っておきましょうか？」

「これ？　まあ、僕はいらないけど、遊馬くんはもう一個持っているでしょう。ふたつも持っていて大丈夫？」

「怪異の臭いなら心配ないです。これに入れておくと臭いがしないんですよ。嫌な感じもなくなるし」

　遊馬は鹿の角が入っている青い絹の小袋を取り出した。袋自体はごく普通のものだ。怪異の臭いが消えるのは、鹿の角の影響だろう。

「それ、昨日から持っているね」

「はい。実家の祖父母に渡されて。母の遺品らしいんですけど、中に……たぶんおれの父親の角の欠片が入っているんですよね」

　小袋から欠片を出した。紅葉は珍しくも興味深そうに、神の角と思われるものを見ていた。

「母が実家に戻ってきたときに、お守りとして持っていたらしいです。おれ、この歳になって初めて、ちゃんと母のことについて祖父母から聞いたんですよ。どんな人だったかとか、いなくなったときのこと、帰ってきたときのこと、おれを産んだときのこと。初めて知りました」

　紅葉の視線が遊馬に向く。代わりに遊馬が、手のひらに載る小さな角の欠片を見つめる。

「母が人の世に戻ってきたのは、父と母のふたりの意思だったみたいです。おれを産むために母は戻ってきたって。母は、神の許で幸せに暮らしていた。だから父を愛していた。愛したひとの子を……おれを、どうしても産みたかったんだと思います」

　十七で神隠しに遭い〈神の妻〉となった。それを不幸だと人は言う。けれど母はきっと、望んで父のもとへ行ったのだ。その日々は、誰よりも幸せだったのだろうと、今なら信じられる。

「そう」

と、杠葉は呟いた。

「壱路も幸せかな」

遊馬ははっとして顔を上げる。杠葉の目は伏せられている。

杠葉の双子の弟である杠葉壱路も、遊馬の母と同じく神隠しに遭い〈神の妻〉となった。以降十六年間、杠葉は弟を連れて行った海神と呼ばれる怪異を捜し続けている。

消えた弟を捜し続けている。

「今まで僕は、壱路を見つけ出して連れ戻すことばかり考えていたけれど、それは壱路にとっての幸福ではないのかもしれない」

「杠葉さん……」

「壱路が幸せに生きていると知れたなら、僕も、それでいいのだけれど」

杠葉の表情は変わらない。普段からあまり感情を大きく表さない人だ、目に見えるものから心の内を窺い知るのは難しい。

「じゃあ、早く壱路さんを捜して、訊いてみなきゃいけませんね。今幸せかって」

遊馬はにかりと笑った。相手の心がわからないなら、せめて自分の思いは伝わるように伝えなければいけないと思った。

　杠葉が眉を下げ、ふっと口元を緩ませる。

「そうだね」

　遊馬が出入り口に向かうと、杠葉も見送りに付いてきた。

　ドアを閉める直前、杠葉が、

「遊馬くん、ありがとう」

　と言った。

「いえ、おやすみなさい」

「おやすみ」

　ドアが閉まる。遊馬は同じフロアにある自分の部屋に向かい、カードキーを差し込んだ。

　部屋に入り、まず、叫び声を呑《の》み込んだ。灯りを点《つ》けたままにしていた部屋の中に、真白の体毛をした大猿の怪異がいた。

　遊馬は思わず閉じたドアに張り付いた。猿は、巨大な顔を傾げ、黒目の大きな丸い両目を遊馬へと向けていた。

「……お、おまえ、こないだおれのところに来た奴、だよね」

心臓ははち切れそうなほどに鳴っている。遊馬は震える声を隠せないまま、けれど意を決し猿に語り掛ける。

猿は答えなかった。皺だらけの顔を何度か左右に揺らし、両の目玉で遊馬を捉えるだけだった。

「あの、人に捕まっている犬神は、おまえの仲間か？　それとも敵か？　おれたちは、あの犬神を、逃がそうと思ってる、んだけ、ど」

恐怖で語尾が弱まっていく。どうしよう。逃げるべきだろうか。ドアは自分のすぐ後ろにあるからいつでも廊下に出られる。しかし、この猿が危険な怪異だった場合、遊馬が逃げることで他の人たちの身が危なくなるかもしれない。

じわりと汗の掻いた手を、ドアのノブに掛けた。足はまだ動かない。

「……え？」

ふいに、猿が右手を差し出した。体軀に比べ小さな手には、透明の小さな石が握られていた。

「な、何？　くれるの？」

猿はやはり反応しない。

遊馬は一度深呼吸をしてから、恐る恐る猿に近づき、そっと、小さな石を手に取った。

透明だが、わずかに青が混ざっている。ひび割れのひとつなく、蛍光灯の下でも美しく輝く、宝物のような石だった。

遊馬はその石から、覚えのある臭いを感じた。

「これって、もしかして〈御犬の泪〉？」

遊馬の持っている石とまるで色が違う。輝きも違う。けれど、同じ臭いがしている。

「本当は、こんな綺麗な色をしてるんだ……」

この石は、まさしく「泪」と呼べる色をしていた。これこそが、本物の〈御犬の泪〉だ。犬神の生み出す幸福の宝石は、とても、美しい石だったのだ。

人に作らされた血の石などではない。

「……ゲ……テ……」

ひび割れた音が耳に届いた。

猿の耳まで裂けた唇が、歪にゆっくりと動いているのを見るまで、それが声だと気づかなかった。

「ダ……ズゲ……デ……」

「何？　助けて？」

「……トモ……ダ……チ……」

猿の瞳は揺らがない。能面のように表情は変わらない。

しかし遊馬には、猿が泣いているように見えた。

責任の取れない約束をしてはいけないと杠葉にいつも言われている。怪異相談では依頼者の期待に応えられないことも多いから、不用意に希望を抱かせることを言ってはいけない。

約束をする相手が怪異ならばなおさらだ。それが破られたときに、何をされるかわからない。

杠葉に言えば怒られるだろうなと、遊馬は存外冷静な頭で思っていた。わかっている。助けられる保証などない。

けれど今、この猿の怪異には、こう言ってあげなければいけないと思ってしまった。

「わかったよ。おれたちに任せて」

遊馬が言うと、猿の怪異は唇を閉じ、ふっと姿を消した。

床のカーペットには怪異の足跡ひとつ付いていない。遊馬の手のひらにだけ、透明な〈御犬の泪〉が残されている。

○

その夜、遊馬は夢を見た。

ひとりの人間の男と、小さな白い犬と、小さな白い猿が山中を走っている夢だった。男は恰好からして山伏だろうか、錫杖《しゃくじょう》を手に、軽々と山を駆けていく。その後ろを子犬と子猿が追いかけていた。

子犬と子猿は、男と偶然に山で出会い懐いてしまったようだ。子犬は母犬を亡くしたばかりで、子猿は毛の色の違いから群れを追い出されたばかりだった。

離そうとしても離れていかない二匹を、男は渋々旅の共にした。

ひとりと二匹は長い間を共に過ごした。やがて犬と猿は順に生き物としての命を終えていった。二匹は、霊となっても男のそばに居続けた。やがて男も寿命が尽き、山で天寿を全うした。男の魂は黄泉《よみ》へと渡ったが、犬と猿は山の神から加護を賜り現世で霊獣となった。

犬神と猿神は、その後も何百年と共に過ごした。人の家に憑くこともあった。遠くへ旅をすることもあった。男を思い出し寂しくなることもあった。いつだって、二匹は一緒だった。

ある日。

棲み処としていた山に妙な気配が渦巻いた。様子を見に行くと、普段は人の立ち入らない山深い地に数人の人間の姿があった。二匹は人里に踏み入れることがなくなり随分経っていた。人間を見るのは久し振りであった。

人間は、木を何本も切り倒していた。それはどれも山にとって切る必要のない木だった。

犬神は、脅かして追い払おうと人間に近づいた。

瞬く間の出来事であった。犬神が突如姿を消した。

猿神も人間のもとへ走ったが、落雷のような衝撃が身を貫き、痙攣しながら地に伏せた。

人間たちの視線が猿神に向く。猿神も人間たちを見ている。人間のひとりが大きな壺を持っていた。犬神はそこに封じ込められたのだと猿神は気づいた。罠だったのか。術を使われた。助けなければ。しかし体が動かない。

人間たちは猿神を置いて山を下りて行った。犬神は人間によって、山から——猿神のそばから連れ去られてしまったのだ。

犬神を捕らえた人の中に、遊馬の知った顔がいる。大和田と、彼の秘書。極彩会の人間たちだ。

そしてもうひとり、見たことのある気がする人物がいたのだが。

どこで会ったか、思い出せない。誰だろう。

あの、若い青年は。

○

ふたたび極彩会の拠点を訪れた。

昨夜のことはホテルを出る前に杠葉と御剣に話している。御剣には笑われ、杠葉には呆れながら怒られ、遊馬はただ「すみません」と謝った。

「さて、腹を括っていくしかないね」

地下に獣を隠した三階建ての建物を前に杠葉が言う。

「ですね。もう、今日けりを着けるくらいの覚悟で行きます」

「じゃないと遊馬くん、猿の怪異に何されるかわからないからね」

「すみません」

「おれは今回も外にいるぜ。遊馬チャン、携帯の通話をずっと繋げてろ。なんかあったらおれを呼べ」

「はい」

遊馬はスマートフォンを操作し御剣に電話を掛けた。御剣のスマートフォンが震え、遊馬と電話が繋がる。

通話したままスマートフォンをジーンズのポケットに入れた。反対のポケットには、杠葉に借りた裁ち鋏を忍ばせている。

「行こうか」

歩き出す杠葉に続く。玄関ポーチに立ちインターフォンを鳴らすと、そこから返答が来る前に玄関のドアが開いた。

「いらっしゃいませ。杠葉様、遊馬様」

出迎えた秘書は、笑顔で遊馬たちを中に通した。今日は一階のオフィスに人はいない。

秘書に連れられ二階の応接間に入る。すでに大和田がソファに座って待っている。

「今日も来てしまい申し訳ございません。遊馬くんが、どうしてもあなたにお話ししたいことがあるようで」

　杠葉が言う。遊馬は大和田に頭を下げる。

「いいえ、いいえ、構いません。実は私も遊馬さんにもう一度お会いしたいと思っていたんです。来てくださってむしろありがたい」

　杠葉と遊馬は昨日と同じ位置に座った。遊馬は青い絹の小袋から、赤黒い〈御犬の泪〉を取り出し、テーブルに置いた。

「おれは昨日、大和田さんに怪異を見たのは初めてだと言いましたが、あれは嘘です。すみません。実はこの石は、小さい頃に犬神から直接貰ったんです。あれが大和田さんの飼っているものか、別の犬神かはわかりませんが」

　杠葉と御剣が考えた設定を語る。嘘を吐くのは苦手だ。なるべく自然に、平常心を装い、これが嘘であるとばれないように話していく。いつも杠葉がさらりと適当なことを言うのを真似て、なるべく意識せず、頭に浮かぶ言葉を口にする。

「犬神がこれを置いて行ったのは気まぐれだったと思っています。おれは小さい頃から不思議と怪異を引き寄せてしまう性質のようで」

「ほう、その理由は？」

「さあ。自分では思い当たりません。物心つく前から不思議なものを見たり聞いたりしていたようだと、両親は言っていました」

「なるほど」

大和田が呟く。

遊馬は背に脂汗を掻いていた。少しずつ息を吸っては吐く。どれだけ呼吸をしても鼓動は落ち着かない。せめて表情には緊張と焦りを出さないようにしようと、角の欠片の入った小袋をお守りのように握り締める。

「ちなみにそのことは、杠葉さんもご存じで？」

大和田の目が杠葉に向いた。

「もちろん。僕は彼のように怪異を引き寄せることはありませんが、怪異の存在にはとても興味がありまして」

「そうですか。杠葉さんは複数のマンション経営をしてらっしゃるとおっしゃっていましたね」

「ええ」

返答を聞いたあとで、大和田はわずかに沈黙した。

「遊馬さん」

大和田がじっと遊馬を見つめる。声が裏返りそうで、遊馬はあえて返事をしなかった。

嘘が見抜かれたのだろうか。大和田のような人間は、相手の内心を見透かすのが上手そうだ。遊馬の付け焼刃の芝居など、すぐに気づかれるだろうか。

「よろしければ、私と一緒にビジネスをしませんか？」

にいっと笑い、大和田は言った。

遊馬は眉を顰める。

「……ビジネス？」

「怪異を使ったビジネスです。〈御犬の泪〉のように、怪異には人智を超えた特別な力を持つ物がある。奇跡とも魔法とも呼べるそれらを、強欲な者たちは意地でも欲します。事実、私は〈御犬の泪〉をこの一年で千個は売った。犬神一匹で百億を稼いだのです。他の怪異も利用できれば途方もない金が動くでしょう」

いいですか、と、大和田は顔を真っ赤にし、テーブルに身を乗り出して熱弁する。

「怪異は金になるんです」

遊馬はつい「はあ」と素の返事をしてしまった。

何を言っているのだろうか、この人は。怪異で金を稼ぐなど、とんでもないことを思いつく人もいたものだ。強欲とはよく言う。まさに自分のことではないか。

ちらと杠葉を見ると、薄っすらと笑みを湛えて大和田を見ていた。やはり感情は読みにくいが、今の杠葉の心情は遊馬にもわかる。心の底から呆れているか、もしくはとっくにまったく別のことを考え、話を聞いていないか、だ。

「遊馬さんは、私のビジネスパートナーにぴったりなんです。もちろん杠葉さんもご一緒に。怪異を知り、怪異が寄ってくる。素晴らしい。私はあなた方のような人材をずっと探していたんです」

「そう、ですか」

「どうです？　売り上げは私とあなた方とで折半で構いませんよ。あなたにとっても悪い話ではないはずだ。と言いますか、遊馬さん、きっとあなたも同じことを提案しに来られたんでしょう。わかっていますよ、私には」

大和田の目が三日月形になる。

気味が悪い。何もわかっていないくせに。この察しの悪さでよく今までこんな稼業をやってこられたものだ。おれを利用しようとしているのも丸わかりだし。もしかしておまえも誰かに利用されているだけじゃないのか。

頭に浮かんだ言葉が、喉の手前まで出かかった。

「いいですね。ぜひやらせてください」

　嘘は苦手だが営業スマイルなら慣れている。遊馬は精一杯の爽やかな、且つ少し馬鹿っぽい笑みを浮かべた。大和田は深く頷く。

「賢明なご判断ありがとうございます。杠葉さんはどうされますか？」

「もちろん僕も参加させてもらいます」

「それはありがたい。あなたの一流の経営者としての目線もぜひお借りしたいですから」

　遊馬は大和田に杠葉古物堂の毎月の売り上げを教えてやろうかと思ったが、もちろん口にはしなかった。

　ぐっと前のめりになり、大和田に顔を近づける。

「あの、もしよかったら、もう一度犬神を見させてもらえませんか。あの犬に着けられていた首輪が気になっていて。あれで怪異を捕縛するんですよね」

　あえてわかりやすく道具に興味を持ってみろ、とは御剣に言われていたことだ。怪しまれないか不安だったが、大和田はとくに訝しむ様子を見せなかった。

「まあ、あなた方にはすでに一度お見せしていますからね。いいでしょう」

　あっさりと大和田は承諾し、昨日と同じく秘書を伴い遊馬たちを地下へ案内した。

地下には犬神がいた。首には細い枷が嵌められ、身動きの取れないよう鎖で繋がれている。

犬神の周囲には爪で掻き毟った傷が無数に付いていた。焦点の合わない目玉は頭蓋から飛び出し、血の涙を滲ませている。

「捕縛する、と遊馬さんはおっしゃいましたが、実際に犬神を捕まえたのは、首輪ではなく『獣搦《ししがら》めの壺』という、獣型の怪異を封じることに特化した呪物なのです。しかし壺はあくまで封じるためのものでしかない。そこであの首輪です。あれは、着けられた者が持ち主に絶対服従するまじないのかかった金環なのです」

へえ、と遊馬は呟いた。犬神を捕縛した道具が壺であることは夢で見て知っていたが……やはり現在犬神を拘束しているのはあの首輪のようだ。

遊馬は服の上から裁ち鋏に触れた。どうにか隙を見て、これを試してみたいが。

「あ、の、近くで見てもいいですか？」

「ええどうぞ」

「か、嚙まれたりはしないですかね？」

「大丈夫ですよ。私がお客様に危害を加えないように言ってありますから」

遊馬は頷いて、そっと犬神のそばに歩み寄った。強烈な臭いに鼻での呼吸を止める。唸り声と熱気が肌に直接触れ、堪らず身を震わせた。それでもなお一歩足を踏み出し、手を伸ばせば触れられる距離まで近づいた。

金環は、犬神の首にめり込んでいた。付近の毛は抜け落ち、肉の色が青黒く変色している。

一体どうやって着けたのか、金環に繋ぎ目は見当たらなかった。正しい方法で外すことは現時点では不可能だ。

ちらと杠葉を見ると、秘書に話しかけていた。秘書はこちらを見ていない。遊馬は少し位置をずれ、犬神の陰に入り右手を大和田の視界から隠した。

そっと鋏を取り出し、金環に近づける。

「遊馬さん」

声に、ばっと身を引いた。大和田がすぐそばにいた。

繕う間もなく遊馬は秘書に拘束された。床に胸が叩きつけられ一瞬息ができなくなる。手離してしまった裁ち鋏が犬神の足元に転がった。手を伸ばしても届かない位置だ。

「……なっ、何をするんですか」

「それはこちらの台詞ですよ、遊馬さん。やっぱりあなた方もそうだったんですね。

いいんですよ、犬神を盗もうとする強欲な輩《やから》が。残念です、あなたとならいいビジネスができると本気で思いましたのに」

「おれは別に、盗もうとなんて」

「これは私の物です。それにね、無駄ですよ。金環は持ち主にしか外せません」

遊馬を見下ろし、大和田は言った。必死に睨みつけたが、下卑た笑みを返された。

大和田の視線が杠葉に向かう。杠葉は、澄ました表情で離れた場所に立っている。

「杠葉さん。あなたはどうする気ですか」

大和田の問いに、杠葉は表情を変えず答える。

「僕は遊馬くんにしか従いません」

そうですか、と大和田は冷えた声音で言った。

秘書が一層強く体を押さえ、遊馬の口から呻《うめ》き声が漏れる。

「久しぶりに私の犬にごはんをあげましょうかねえ」

顔の横にばたばたと犬神の涎が落ちた。濃い、獣の臭いが鼻先を漂う。

ぞっと怖気《おぞけ》が走った。必死に抜け出そうとするが秘書の拘束からは逃れられない。

「離せっ……！」

「大人しくしていたほうが痛くありませんよ」

「み、御剣さん！」

遊馬は必死に叫んだ。通話が切れていなければ御剣は聞いてくれているはずだ。

大和田がふっと鼻を鳴らす。

「まさか助けを呼びましたか？　この部屋は三階のエレベーターでしか来られませんよ。あれを上で動かすことは私にしかできません。どうやってここに辿り着けると言うんです？」

「け、警察を呼びます」

「うふふ、無駄ですよ。私のもとに警察は来ません。なぜなら警察の幹部も私の顧客ですから」

大和田は怪異の臭いよりも臭い息を吐き、高らかな笑い声を上げた。

「ヴぅ……ヴヴぅう……！」

犬神が唸る。遊馬は強く唇を噛んだ。

――地下に、風が吹いた。

目を閉じ、開けると、視界に鮮血が飛び散っていた。

体の拘束が解け、同時に秘書がどさりと遊馬の横に倒れた。背が大きく裂け血が噴き出している。秘書は身じろぎひとつしなかった。血溜まりを広げる秘書の身からゆっくりと顔を上げると、猿神が、目の前にいた。

「ど、どうやって、おまえが」

大和田が腰を抜かして倒れ込む。

遊馬ははっとして体を起こした。裁ち鋏を摑み、力の入らない足を叩いて立ち上がる。

金環に鋏を掛け、思い切り刃先を閉じた。

——さくり、と。柔らかなものに刃を入れたように、あまりにも簡単に、金環は切れた。

ぶちぶちぶち。肉の弾ける音がして、犬神の首が膨張する。切れた金環が弾け飛び、壁にごとりとぶつかった。

「ヴう……ヴうう……！」

犬神の体毛が逆立つ。耳がおかしくなるほどの遠吠えが地下に響き、床の血溜まりが波打った。

美しい霊獣の琥珀の目が、大和田という人間に向く。

「ひっ」

這いつくばって逃げる大和田を犬神が踏みつけた。爪が肉の付いた背中に食い込み、少しずつ血が滲んでいく。

「や、やめろ、助けてくれ。悪かった。おい、きみたち、お願いだ、こいつらをどうにかしてくれ！」

顔中に汗を滲ませ、大和田が必死でこちらに手を伸ばす。

犬神と猿神の目も、遊馬に向いていた。

立ち尽くす遊馬の肩を杠葉が抱く。

「遊馬くん、ここから先は、僕らには関係のないことだ」

遊馬は大和田を見下ろしていた。大和田の顔には絶望の感情が浮かんでいた。二匹の霊獣はじっと遊馬を見つめ続けている。彼らの感情は、遊馬には計り知れない。

「はい」

遊馬は霊獣と大和田に背を向けた。大和田は喉が裂けそうなほどに叫んでいたが、遊馬は決して振り向かなかった。

杠葉と共にエレベーターに乗り込む際、大和田の最後の声が聞こえる。

「わ、私じゃない。すべては、桐矢《きりや》くんの考えだ！」

エレベーターのドアが閉じる瞬間、遊馬は、何かが噛み砕かれる音を聞いた。

「生きてたか！」

御剣が三階まで入ってきていた。遊馬たちの無事を確認すると、御剣は「さっさとずらかるぞ」と遊馬たちを下へ誘導する。

「あ、あの、おれたち、なんか罪に問われたりしませんかね」

大和田たちは生きてはいないだろう。彼らの死体の一部や血痕はいずれは発見される。まさか誰も、彼らが怪異に襲われたとは思わない。もし遊馬たちが今日ここに訪れていたことが知られれば、殺人犯の汚名を着せられかねない。

「遊馬くん、あの大惨事を見てまず自分の身の心配とは。なかなか図太くなってきたね。いい傾向だ」

「やめてくださいよ。必死で考えないようにしてるだけですから。そうじゃないと今すぐ泣き喚いてしまいそうで」

「おたくらのんきだなあ」

まったく、と先導する御剣が溜め息を吐く。

「少なくとも今現在この家の監視カメラは動いてねえから。パソコン類も電源が入らねえし。まあだから大丈夫とは言えねえが」

「そうなんですか？　なんで？」

「おれが知るかよ」

建物の外に出た。外部は何気ない景色が広がっていて、空は青く、穏やかな風が吹いていた。遊馬は心底ほっとして、ほんの少しだけ泣いてしまった。

ふと、敷地の隅に立っている石柱に真新しい傷がついているのに気づく。彫られた紋様を切るような傷だ。

「これがな、敷地の四隅に立っていて、結界になってたんだとよ。撫子サンに写真を送ったら獣除けの模様だっつって。だから猿は助けに入れなかったんだ」

目線に気づいた御剣が言う。

「じゃあ、御剣さんが傷を？」

「ああ。そしたら猿を呼び込めるだろ」

御剣がからりと笑った。彼は地下の様子を見ていないが、何が起こったかの想像はすでに付いているのだろう。

遊馬は先ほどの光景を頭に浮かべ、ぶんぶんと首を横に振った。恐怖はあったし、とんでもないことをしてしまったという意識もあるが、大和田たちに対しての同情はなかった。自らの蒔《ま》いた種だ。怪異を相手にするとはこういうことなのだ。

人が怪異をコントロールするなど、決してできやしない。

「帰ろう」

杠葉の声に、遊馬は頷いて駆け出した。

○

数日後、大和田と秘書のニュースが流れた。

地下で見つかったふたりの遺体は見るも無残な状態だったようだ。ニュースでは、地下で大型の動物を飼っていた形跡があり、ふたりはその動物に襲われたと見られる、と言っていた。しかしふたりを発見したときには動物の姿は地下になかった。

家には十数台のカメラがあったが、そのどれもが動いておらず、データも消え失せており、動物の姿も、その後どこへ向かったかもわかっていない。警察は近隣住民に注意を呼び掛けているという。

そのニュースと同じタイミングで、名の知れた大企業の経営者や大御所の芸能人、大物政治家などが、次々と事故に遭ったり、大病を患うといった報道が入った。確証はないが、おそらく〈御犬の泪〉で利益を得た者たちが代償を支払っているのだろうと遊馬たちは考えている。

あの石は、決して持つ者の願いを叶える石ではなかった。いや、誰の手に渡ろうとも、石の持ち主は犬神であったのだ。犬神の意思ひとつで、石を手にしたものを幸にも不幸にもできる石だった。

遊馬は木原のことを訊くために祖父母に連絡しようと思ったが、やめた。何が起きていようとも、自分には関係のないことであった。

遊馬の持っていたふたつの赤黒い石は、いつの間にか消えていた。青い絹の小袋には、鹿の角の欠片の他は、透明な〈御犬の泪〉だけが残っていた。

「犬神は、人に幸福をもたらすとも言われているけれど、同時に、憑りついた人間を祟り殺すとも言われている」

いつものようにロッキングチェアに座り、お気に入りのタイを締め、コーヒーを飲みながら、杠葉が言った。

そうですね、と遊馬は答える。あの二匹の霊獣は、遊馬たちには益を運んだようだ。けれどできるなら二度とかかわりたくないと考えながら、遊馬は棚にハンディモップを差し込んだ。

第三話

郭公《かっこう》の花嫁

スポーツリュックに昼食用の焼きおにぎりの入った弁当箱を入れ、ファスナーを閉める。時間は午前七時半。リュックを背負って自転車と家の鍵を取り、玄関に向かってスニーカーを履く。

家を出てアパートの鉄骨階段を下りて行くと、一〇一号室に住む大家のおばあさんが花壇に水をやっているのを見つけた。

「おはようございます」

声を掛けると大家さんが振り返った。遊馬は駐輪場に止めているロードバイクの鍵を外す。

「遊馬くんおはよう。今日もお仕事?」

「はい。働いてきます」

「いってらっしゃい。最近物騒なニュースが多いから気をつけてね」

「ですね。大家さんも気をつけて。いってきます」

ロードバイクに跨りペダルを踏んだ。通勤路は、いつもとなんの変わりもない、平凡で平和な街並みだった。

「あった」

客の訪れない店内で立て付けの悪い棚の修理をしていると、カウンターで何かを読んでいた杠葉がつと声を上げた。遊馬は釣られて振り返る。

「何があったんです？」

「大和田が言っていた、獣搦めの壺の記述だよ」

ほら、と杠葉が、読んでいた冊子をカウンターに置いた。遊馬はドライバーを持ったままカウンターを覗き込む。

「この本、なんですか？」

「祖父の日記帳だよ。うちにある資料を全部読んだけど、壺についても金環についてもどこにも書かれていなかった。でも、この日記に獣搦めの壺の話題が書いてあるんだ。祖父はこの壺のことをどこかで聞き付けたみたいで、ずっと探していたようだね」

日記を読んでみる。『獣搦めの壺』という名と、獣を封じるという大和田の言っていたとおりの利用法が書かれている。杠葉の祖父はこれを欲し、どうにか手に入れようとしていたらしいが、結局壺を見つけることは叶わなかった。

「金環のほうは、祖父の記録にも書かれていないね。壺のほうもだけれど、怪異愛好家にすらあまり知られていなかった代物らしい」

「でも、杠葉さんのおじいさんにも仕入れられなかったものを、大和田はどうやって手に入れたんでしょう」

「さあ。御剣くんの調べでは、大和田は犬神を捕まえるまでは怪異とかかわらない生き方をしていたようなのにね。どこから情報を得て、どうやって貴重な呪物を集めたのか」

杠葉が右の親指を唇に当てる。

遊馬は、あの日に聞いた大和田の声を——遊馬たちではなく、怪異に向かって叫んでいた声を思い出す。

「最後に言っていましたよね。キリヤくんの考えだ、って」

——あなたも怪異が身近に存在する環境で生きてこられたんですか？

大和田にそう問われたことがある。あなたも、という言葉が示すのは、遊馬と大和田のことだとそのときは思っていた。だが本当は、大和田は別の人物を指していたのかもしれない。

それがキリヤという人物であるかはわからないが。

「言っていたね。重要な鍵を握っている人物のようだけれど、思い当たる人はいないな」

「キリヤってだけだと、名字か名前かもわかりませんね」

「心には留めておこう。どこかで聞くこともあるかもしれない」

杠葉は日記帳を閉じた。

遊馬は棚の修理を再開する。作業をしながら、心に引っかかっている物の正体を考えている。

キリヤという名に覚えはない。ただ、その存在に心当たりがないわけではない。犬神と猿神の夢を見たとき、大和田たちと共にいた人物の姿を見た。若い青年だった。もしかすると、あれがキリヤだったのではないだろうか。

あの人物に、どこかで会ったことがあるような気もするのだが、思い出せない。誰だろう。つい最近、見た顔のように思ったのだが。

「遊馬くん」

ふっと我に返る。顔を上げると、杠葉がすぐ横に立っていた。

「あ、はい、なんでしょう」

「ずっと鳴ってるよ」

紅葉は遊馬のジーンズのポケットを指さした。スマートフォンのバイブレーションの音が絶えず鳴っていた。

「うわっ、本当だ、気づかなかった！」

慌ててポケットから取り出す。

「うわっ、撫子さんだ！」

着信画面には『四ツ辻撫子』と表示されていた。遊馬は急いで通話ボタンをタップした。

「すみません遅くなりました！」

大きな声を出すと、甘い笑い声が耳元で聞こえる。

『うふふ、大丈夫だよぉ。もしかして忙しかった？』

「いえ全然。店の棚を修理していたところなので。何かご用でした？」

『伊織ちゃんと遊馬くんにね、相談したいことがあって』

「相談？　がらくた堂にですか」

仕事のことか、と内心がっかりしつつ訊き返すと、撫子は『わたしが、じゃないんだけどね』と答えた。相談があるのは、撫子が大学で受け持っている男子学生だという。

　とあることに悩んでいた男子学生は、撫子に助言を仰ぎに来たようだ。話を聞いた撫子は、その相談内容について、遊馬たちの意見も聞きたいのだと言った。

『できるだけ早めがいいんだけど、今日の午後、うちの大学に来てくれないかな』

「わかりました。伺います」

『ありがと。じゃあわたしの研究室で待ってるねえ』

　柔らかな余韻を残し通話は切れた。

　せっかく電話が来たのにあっさり終わったなあ、と後ろ髪を引かれながら、遊馬はホーム画面に切り替わったスマートフォンを見つめる。

「杠葉さん、がらくた堂に相談の依頼が入りましたよ」

「撫子さんから？」

「央山大学の学生さんからだそうです。今日の午後、撫子さんの研究室に話を聞きに行くことになりました。いいですよね？」

「いいけど、向こうが来るんじゃなくて僕らが行くのか」

　確かにそのとおりだと気づいた。なんの疑問もなく自分たちが向かうことに納得してしまっていた。

「きみは撫子さんに弱いから。御剣くんに忠犬って言われてるの知ってる？」

「え……知らないです」

「きみの恋路を邪魔する気はないけれど、気をつけなよ。撫子さんをそこらの女性と同じと思ってはいけないからね」

杠葉が冷ややかに笑う。遊馬は顔を強張らせ、ゆっくりと深く頷いた。

「そういえば杠葉さん、例の事件知ってます？」

女性という言葉で思い出し、スマートフォンを操作してニュースサイトを開いた。大和田の事件もセンセーショナルな出来事として熱狂的に報道されたが、今や世間はその話題をすっかり忘れてしまっている。より一層興味関心を引く事件が現在進行形で起きているからだ。

「連続殺人事件のこと？」

杠葉がスマートフォンを覗き込む。

「そうです。怖いですよねえ」

「でも被害者は女性だけでしょ。きみは大丈夫だよ」

「そうですけど、怖いは怖いじゃないですか。それに知ってる人が被害に遭ったら嫌ですし」

「撫子さんとか？」

「そうですよ」

　ここ最近、東京を中心に発生している連続殺人事件。被害者は十代から三十代の若い女性で、全員が同様に腹部を刃物で引き裂かれて殺されていたという。最初の被害者が出たのは今からおよそ二ヶ月前。そこからひと月の間を置いて、二人目、次いで三人目の被害者が発見された。そしてつい先日またひとり。

　今の時点で四人の被害者が出ているが、犯人はまだ捕まっていない。

「都内で起きている事件だものねえ。犯人は意外と身近にいるかもね」

　杠葉にささやかれ、遊馬は思わず身震いした。これほど凶悪な事件を起こしている殺人犯が、今も街中に潜んでいるなど、恐ろしくて仕方ない。

「早く犯人捕まるといいですね……」

「そうだね。世の女性たちは怖くてまともに出歩くこともできないだろう」

「あ、だから撫子さんはおれたちを呼んだんでしょうかね」

「あの人は単に出不精なだけだよ」

　杠葉はそう言い捨てカウンター内に戻っていく。遊馬は「ですよね」と笑い、止めていた作業を再開した。

棚を直し終えたところで工具を片付けていると、店先から聞き慣れた声が聞こえてきた。

「よお、やってるか?」

「あ、御剣さん。こんにちは」

スカジャン姿の御剣と、スーツ姿の青年が店内に入ってきた。青年は遊馬と目が合うと、すっと綺麗な仕草でお辞儀をした。遊馬もへこりと頭を下げる。

見知らぬ人だった。上背があり、スーツ越しにも鍛えたいい体格をしているのがわかる。スーツに崩れはなく、頭髪も綺麗にスタイリングされ隙がない。顔立ちにも品のある美丈夫《びじょうふ》だった。御剣に同行してきたようだが、御剣の同業者にはとても見えない。

「遊馬さんと……杠葉さんですね。御剣からおふたりの話はよく聞いています」

青年はカウンターにいる杠葉に目を向ける。

「吉良禄郎《きらろくろう》と申します。警視庁刑事部捜査第一課に所属しています」

吉良と名乗った青年は、スーツの内側に手を入れ小さな手帳を取り出した。警察手帳だ。ドラマでしか見たことのなかった物に、遊馬は目を丸くした。

「警視庁……警察？　み、御剣さん、とうとう捕まったんですか！」

「捕まってねえよ！　てかとうとうってなんだ、いつかは捕まると思ってたのか」

「え、じゃ、じゃあもしかして、おれたちが何か疑われてます⁉」

「違《ちげ》えって。あのな、こいつはおれの幼馴染みなんだよ」

御剣が親指で吉良を指した。

遊馬は「え」と唇を歪ませ、御剣と吉良とを交互に見遣る。

「出身が同じでな。禄郎は十四のときに東京に転校してったから、おれがこっちに出て来て再会したって感じなんだが」

「そ、そうだったんですか。よかったあ、逮捕されるかと……」

「とはいえ刑事としてここに来てるのは確かだぜ。禄郎からおたくらに相談したいことがあるんだと。いいよな、杠葉サン」

御剣が奥に声を掛ける。杠葉はカウンターに頬杖を突いており、凡《およ》そ客を前にする態度ではなかった。

「個人ではなく刑事としての相談ね」

「まあ、警察組織のってわけじゃなく、こいつの独断での行動だけどな」

「僕らに話を持ってくるってことは、そういうことでいいんだよね？」

「さあな。おれもまだ詳細は聞いてねえんだ。だがまあ、おたくらの古物商としての力を借りてえってわけじゃあねえだろう。なあ禄郎」

御剣の言葉に吉良は頷き、一歩前に踏み出した。

「こんな奴が幼馴染みにいますから、この世に怪異という、人の常識の外に存在するものが実在することは、認め難いですが肯定しています。現在我々が捜査している事件の中にも怪異がかかわっていると思われる事案がある。不甲斐《ふがい》ないことですが、すでに警察の手に負える状況ではありません。だからどうか、あなた方の力をお貸し願いたい」

吉良は深く腰を折った。

杠葉は、いくらか間を置いてから、寒気のするほど綺麗に笑った。

「わかりました、お話を伺いましょう。ようこそ怪異相談処、がらくた堂へ」

御剣と吉良を二階の応接間に案内し、四人分のコーヒーと茶菓子を用意した。

菓子を並べ終えた遊馬がソファに座ると、吉良は早速話し始めた。

「最近都内で発生している連続殺人事件についてはご存じでしょうか」

遊馬はこくこく頷いた。杠葉も同様に首を縦に振る。

「つい先ほどもネットニュースを見て、僕と遊馬くんとで話していたところです。若い女性ばかりを狙っていて、犯人はまだ見つかっていないとか」

「ええ……随分猟奇的で、犯人像について世間でいろいろと語られていますが、実態は、世間が知るよりもさらにずっと奇妙で、異常な事件でして」

吉良はその事件の担当をしているという。あまりにも不可解であるためマスコミに伏せている情報も多く、また偽りの内容を伝えてすらいると吉良は語った。

「マスコミには、被害者たちは皆腹部を刃物で切り裂かれていると発表しています。しかしこれは嘘の情報。実際には、被害者たちの腹は、生きたまま内側から破られているんです。まるで体内から、何かが這い出してきたかのように」

吉良は数枚の写真をテーブルに並べた。遊馬はぱっと口に手を当て、咄嗟に目を逸らした。

「上に許可は得ていないので、これらのことはご内密に」

吉良が出したのは被害者の遺体の写真だった。数は四枚。連続殺人事件の被害者の数と同じだ。たった一瞬目に映しただけで、普通の死に方をしていないのがわかる姿であった。

「遊馬チャン、見ねえとなんもわかんねえぜ」

御剣に茶化され、遊馬は込み上げる唾を必死に飲み込む。

「わ、わかってますよ。ちょっと待ってください」

「おたく、目の前で秘書が引き裂かれて死ぬとこ見たんだろ。なら死体の写真くらいなんてことねえよ」

「おい日架、なんだその話。引き裂かれて死ぬってなんのことだ」

「あー、気にすんな。禄郎の管轄じゃねえ」

遊馬は深呼吸をしてから、できる限り細めた目をテーブルに向けた。

一枚の写真にひとりずつ、赤黒く染まった床の上に女性が横たわっている。酷いなどという言葉では片付けられない有様だ。遺体は一様に、腹部が大きくばくりと裂かれ、臓物をあたりに撒き散らしていた。

刃物で裂いた切り傷でないのは素人目にもわかった。どちらかと言えば、獣に食い散らかされたような惨状だ。怪異に限らず、たとえば熊などに襲われても似た状態になるのではないだろうか。

しかし、おそらくその線はすでに排除されている。体内から破られている、と吉良は言っていた。普通の獣にも、もちろん人間にも可能な所業ではない。

加えて奇妙な点がある。遺体はどれも、腹部が裂かれ開放されている以外に四肢などの欠損は見当たらない。

それなのに、どの遺体のそばにも血に塗れた人体の一部が落ちているのだ。

それぞれ右腕、左腕、右足、左足のように見える。

死んだ人間とは別の人間の体。これにどんな意味があるのだろうか。

「人でない存在による犯行などと、警察が口にすることはできません。だが明らかに異常なこの事件に困惑と不安を抱く者が増えています。化け物の仕業では、と冗談めかして言う者もいますが、私は間違いなく、この事件は怪異によるものだと考えている」

警察だからこそ安易に人ならざるものの存在を認めてはいけない。真実から目を背ければ犯人を逃すことになる。けれど警察だからこそ、社会の安寧のため、真実を見極め、怪異の存在を認めなければならないときもある。吉良はそう告げる。

遊馬は頷き、胃から込み上げるものを必死に堪えながら遺体の写真を観察した。

怖気立っていた。遺体の引き裂かれた痕や零れた臓物も、乾ききったおびただしい血液も、耐性のない遊馬には受け入れ難い。だが、被害者たちの姿で最も身の毛がよだつのは、無残な状況に反し、全員が恍惚《こうこつ》とした表情で息絶えていることであった。

苦しみ藻掻き、極度の痛みと恐怖の中で死んだはずなのに……被害者の顔は正反対の感情を表している。

「体のどの部分から裂かれているかわかりますか」

顔色ひとつ変えず写真を眺めていた杠葉が言う。

「はい。被害者全員が、子宮から腹部を破られていると」

「子宮……」

「つまり」

と言ったのは御剣だ。写真の上に手を突き、前のめりになって彼は続ける。

「怪異が人間の体に潜んで、外に出てきたってことか」

言い放たれた言葉に、場がしんと静まった。

怪異の仕業と仮定すれば。御剣の発言したとおり、何かが人の体内で育まれ、やがて人の体を突き破った、と、状況を見る限りそう答えを出せる。

もしこの推察が当たっていれば、連続殺人という恐ろしい事態より、さらに異常なことが起きていることになる。

「……被害者たちの共通点は、今のところ東京都内が生活圏であるということだけです。三名が都内在住者で、一名は神奈川在住。神奈川の被害者は東京に通勤しています。接点は見つかっておらず、同じ人物を知っている、同じ施設に通っている等の情報も出ていません」

　沈黙を破り吉良が話し始める。

「ただ唯一、四人全員に共通していることがある。死亡する約一ヶ月前から周囲に『妊娠した』と報告していたことです」

「妊娠？」

「ええ。妊娠を喜んでいる様子であったと。しかし、一人目の被害者にはパートナーがおらず、異性関係にはかなり慎重なタイプだった。三人目は子どもを生みたくないと親しい人物らに話していたことがあるようです。妊娠することも、それを喜ぶのもどうにも違和感があります」

「ふむ」

　吉良の話を聞いた杠葉が、右手の親指を唇に当てる。

「怪異に寄生されていたのなら、思考を支配されていた可能性がありますね。怪異が体内に入り込んだ段階で、被害者は怪異を自分の子と思い守るよう操作されるのかもしれません。もし普段の生活に特段変化がなかったのであれば、思考を奪われたというよりは、囚われた、と捉えるほうが合っていそうですが」

吉良は一度重々しく頷いた。

「……であれば、早急に怪異の正体と、寄生した方法、寄生主の選別方法を知らなければなりません。すでに四人が死んでいる。これで終わりなのかもまだわからない。我々警察の役目は、相手が何者であれ、これ以上被害者を出さないようにすることですから」

御剣がばらばらにした写真を、吉良が一枚ずつ並べ直す。

「一時容疑者になった人物がいます。二人目の被害者の交際相手です」

吉良は左から二番目に置かれていた写真の上に、もう一枚写真を置いた。二十代半ばの男性が写っている。

男性は、二人目の被害者と同棲していた。被害者が「妊娠した」と言っていたことから責任を取り籍を入れようとしたところ、被害者のほうから不要だと断られたという。

事件後、被害者と男性双方の知人らへ聞き込みしたところ、ふたりの仲は良好で、以前から結婚を視野に入れた付き合いをしていたことがわかった。入籍を断ったのは被害者のほうだというのは間違いないらしい、友人ら数人が被害者本人からその話を聞いていた。

「友人たちが理由を問うと『夫はいらないから』と被害者は答えたそうです。仲の良かったはずの恋人との結婚には否定的な反面、妊娠を異様に喜ぶ姿に、友人たちはどこか奇妙さを感じていたようで、お腹の子の父親は恋人ではないのではと噂していました」

男性が容疑者となったのは、二人目の被害者が死亡したとき、共に自宅にいたからだった。彼は恋人の凄まじい死を目の当たりにしてパニックになり、家を飛び出して、近隣住民に助けを求めた。

「その後、外部から何者かが侵入した形跡がないことから、殺人容疑で逮捕されました。遺体の様子が常軌を逸していることはそのときからわかっていた。けれど自死でも事故でもなく、唯一犯行が可能な人間がいるのなら、警察は当然その者を犯人と判断するほかありません。それに、恋人のお腹の子が自分の子ではないと知った男性が激高し恋人を殺害した、という動機も考えられましたから」

しかし起訴はされなかった。男性の身体や衣服には被害者の血液がほとんど付着しておらず、洗い流した形跡もなかったのだ。雨合羽などを捨てた痕跡も見つからない。遺体の状況を見るに、血を被らず犯行に及ぶのは不可能であり、つまり男性に恋人を殺すことはできなかった。

想像を絶する惨劇に恋人に縋り寄ることもできなかったのだろう、その恐怖が彼を容疑者から外した。

さらに決定的なことが起こる。男性の勾留中に三人目の被害者が現れたのだ。

「そのためこの方は完全に容疑者から外れることとなりました。私としても、彼は今回の事態にはかかわっていないと考えています。ただこの方は、現時点で唯一、被害者の腹が裂かれ死亡する瞬間を目撃した人物でもあります。取り調べ中、彼はこう話していました。何かが彼女の腹の中で激しく暴れ、肉を突き破ろうとしていた。彼女はなぜか満面の笑みで『産まれる』と叫び続けて、そして、彼女の腹から人の腕が出てきた、と」

吉良は、二人目の被害者のそばに落ちていた腕を指さした。肩から指先までの、大人の女性の右腕のように見える。

「各被害者のそばに落ちていた四肢は本物の人間の四肢です。これも奇妙なのですが、この四肢を調べたところ、それぞれの被害者とＤＮＡが完全に一致しました。つまり、これらは被害者の四肢ということになる。しかし見てわかるとおり、どの遺体も四肢の欠損はありません。他人の四肢を縫合した痕ももちろんない」

これらの検査結果を踏まえ、且つ男性の発言が事実であると取るならば、怪異の宿主となった女性の体内で、自身の肉体の一部が生成され、解き放たれたことになる。

臭いを嗅がない限り断定できないが、吉良の話したことがすべて真実であれば、これが怪異の巻き起こしている事件であることは間違いない。

だが遊馬には、この怪異の意味がわからなかった。なんのために人ひとりの命を使い、人体の一部を生み出さなければいけないのか。

「まだ足りない」

紅葉が呟く。

「足りないとは？」

吉良が訊き返した。紅葉は四枚の写真に順に目を向ける。

「四人全員の部位が違うのは理由があるはず。最も考え得るのは、彼女らがそれぞれの部位を作る役目を担っていたということです。ならば少なくともあとふたつ、胴と頭が必要になる。彼女らが生み出した人体を繋げ合わせ、ひとりの人間を作るには」

淡々と告げられた言葉に、吉良は顔を強張らせ、御剣はすっと目を細めた。

「人間を作る……ですって？」

堪らず遊馬は声を漏らす。杠葉が「僕の考えではね」と答える。

「伝染性か、もしくは完全に無差別に発生するのかはわからないけれど、放っておけば、おそらくあとふたり以上の被害者が出ると僕は考えている」

「ふたり、以上。もう、怪異に寄生されている可能性もあるってことですよね」

「吉良さんのおっしゃっていた話から推測すると、怪異の潜伏期間は一ヶ月。これまでの発生頻度からして、すでに数人、もしくは全員分寄生されていてもおかしくない」

作られる人間がひとりとも限らないけれど、と杠葉は冗談にもならないことを続けた。

遊馬は思わず自分の腹部を撫でる。怪異は女性の身にのみ宿っているようだが、それも確実とまでは言えないのだ。怪異の正体がわからない限り、今現在己の身に怪異が宿っていないという保証はできない。

「……杠葉さんの推測は、当たっているかもしれません」

唇を引き結んでいた吉良が重々しく口を開く。

「実は、被害者と共に見つかった四肢は、現段階でも生体反応があるのです」

「四肢のみで生きている、ということですか」

「そうです」

体が揃い繋がるのを待っているのかもしれない、そう吉良は言った。静まり返った空間に、りりり、と着信音が鳴り響いた。吉良のスマートフォンからだった。吉良は「すみません」と頭を下げその場で電話に出た。

仕事の連絡であることは雰囲気でわかる。吉良はひとつふたつ相槌を打ったあと、皺が寄るほど眉根を寄せた。

「わかった。すぐに向かう」

一分もかからず通話は終わった。吉良は杠葉に向き直る。

「新たな遺体が見つかりました。この目で見ないことには断定できませんが、十中八九この度の怪異による遺体です。私はこれから現場に向かいます」

「承知しました。どこまでお力になれるかわかりませんが、僕らのほうでも怪異について調べてみます。わかったことがあればすぐにお伝えします」

「ありがとうございます。新たな遺体含め、こちらでも情報が入ったらすぐに共有します。これまでの被害者のデータは御剣に送っておきますので、ご確認ください」

吉良は立ち上がってお辞儀をし、応接間を出て行った。遊馬は慌てて後を追い吉良を見送ってから、ふたたび応接間へと戻る。

杠葉と御剣が、吉良の置いて行った被害者の写真をじっと見つめていた。ふたりともよく平気でいられるなと、遊馬はつい苦い顔をしてしまう。

「しっかし酷《ひで》ぇ有様だなあ。わざわざ突き破らねえでも、下から出てくりゃまだ命は助かったかもしれねえのに」

御剣が唇をへの字にしながら言う。

「怪異の思考では、産道を通るより腹を突き破って外に出るほうが楽なんだろう」

「とんでもねえな。しかしおふたりとも、これからどうするよ」

座り直した遊馬と杠葉とに、御剣は目を向ける。

杠葉は間を置いてから、「被害者について」と話しだした。

「今のところ共通点はないようだったけれど、発生地域が関東圏に絞られているのを見ると、無差別とは考え難い。そうであれば全国で起きているはずだからね。しかし、伝染性と言うにはばらけ過ぎている」

つまりそれまでの行動の中に必ず共通点があったはずだ、と杠葉は言う。

「たとえば、知らず禁足地に足を踏み入れ祟られたか。何か呪物に触れたか。そんなわかりやすいことでなくても、些細《ささい》なことでもあるかもしれないし」

「でも、怪異に遭った当人がもう亡くなっているから調べるのは難しいんじゃ」

「そうなんだよね。だからとりあえずは『人を生み出す怪異』のことを調べてみるしかなさそうだ。怪異の正体がわかれば、寄生する人間をどう選別しているかも、寄生されている人間の見分け方もわかるかもしれないし」

「あ、ならちょうど今から撫子さんのところに行きますし、訊いてみましょうよ」

遊馬が言うと、杠葉は眉を顰めた。これは、頼り難いが仕方ない、と思っている顔だ。

「なんだ、撫子サンのところに行くのか？」

御剣が声を弾ませる。

「はい、でも御剣さんを連れては行けませんよ。撫子さんの教えている学生さんからの怪異相談があって行くんですから」

「なんだよ。あの人いろんなネタ持ってるから面白《おもしれ》ぇのに。てかおたくら、珍しく忙しいのな。ちゃんと調べられんのか？」

「受けた依頼はできる限りやりますよ」

「そうかよ。まあ、おれのほうでも調べといてやるよ」

御剣は遺体の写真をカメラで撮ると、ひとりでさっさと帰って行った。

「じゃあ」と杠葉が立ち上がる。

「僕らも出かける支度をしようか。喫茶店にでも寄ってから行きたいしね」

「いいですけど、杠葉さん、こんなの見たあとによく喫茶店なんて行く気になりますね」

写真を片付けながら呟く。遊馬はとてもじゃないが、しばらく何かを口にしたいとは思えない。

「そりゃ、いつどんなときだって、コーヒーは美味しいでしょう」

杠葉はさも当然といった顔でにこりと笑んだ。遊馬は溜め息混じりに「そうですね」と返事をした。

○

マーチボレロに乗り、杠葉と共に撫子の勤める央山大学へ向かった。

撫子の研究室は、キャンパス内の端に建つ広い校舎の北側、ひと気のほとんどない場所に構えている。

木製のドアを三度ノックすると、中から「はぁい」と撫子の声が聞こえた。

ドアを開けて中に入ると、書物に埋もれた室内に、撫子と、ひとりの男子学生の姿があった。書物の整理をさせられていたらしい男子学生は、遊馬たちを見て頭を下げた。

「紹介するねえ。この子がわたしの教え子の横峰将《よこみねしょう》くん。で、こっちが怪異相談をしている、伊織ちゃんと遊馬くんでぇす」

撫子は流れ作業のように三人を順に指し示すと、ケトルでお湯を沸かし始めた。

杠葉は無表情で将に名刺を差し出す。

「怪異相談処がらくた堂の杠葉と申します」

「あ、えっと、文学部二年の横峰です。よろしくお願いします」

「遊馬です」

続いて名刺を渡した。将はおずおずと受け取り、「横峰です」と会釈をした。

座って待ってて、と撫子に言われ、室内にあるソファに腰掛ける。

将は、遊馬よりも背が高く細身で、今時の男子大学生らしい身なりの青年だった。緊張しているのか、背筋を真っ直ぐに伸ばして拳を握り締めている。

「はい、ダージリンだよ」

撫子が四人分の紅茶をテーブルに運んできた。並べ終わったところで将の隣に座る。爽やかなダージリンの香りは、何も口にしたくないと思っていた遊馬の心を溶かしていく。とはいえすでに喫茶店でコーヒーを飲んできているのだが。

「横峰くんの相談はね、お姉さんのことなんだけど」

一番に紅茶に口を付けた撫子が、早速話を始めた。

「お姉さんの様子に違和感があって、でも他の誰に話しても気にするほどのことじゃないって言われたみたい。それでも気になって、わたしに話しに来てくれたの。今のところ、怪異がかかわっているとは言えないんだけど、ただちょっと、女の勘みたいなものが働いてね。一度伊織ちゃんたちにも聞いてもらおうと思ってさ」

ね、と撫子は微笑みながら将に向かい首を傾げた。将は硬い仕草でこくりと頷き、杠葉と遊馬を見遣る。

「五歳年上の姉がいまして、僕の住んでいるアパートのすぐ近くでひとり暮らししています。僕も姉も大学入学時に上京してきて、近くに他の身内がいないので、よくお互いの家に遊びに行ったりして、わりと仲のいい姉弟だって自分でも思っています」

姉の名は萌《もえ》というそうだ。すでに社会に出ており、大学を出てから都内の広告代理店で働いていた。

「姉は、つい先日突然仕事を辞めたんです。パワハラ気味の上司がいると前から言っていたので、辞めたこと自体はとくにおかしいとは思いませんでした。ただ、姉は仕事を辞めた理由を『妊娠したから』と言ったんです」

　将は険しい表情でそう言った。

　遊馬は思わず杠葉を見てしまった。気づいた杠葉も横目で遊馬をちらと見る。

「ストレスになってお腹の子に悪影響だから辞めたそうです。たぶん本当は突然辞めるなんてできなかったはずだけど、姉は仕事には一切行かなくなりました。それどころかほとんど家に引き籠もるようになったんです。食事はきちんと取っているし、食料の買い出しには普通に出かけています。家事もしていて家の中はとても綺麗です。でもすることのない時間はずっと家にいて、気味悪いくらい優しい表情で、まだまったく大きくなっていない自分のお腹を撫でているんです」

　萌は元々、将と違いアウトドア派で、休みがあれば出かけ、仕事の後は遅くまで飲み歩くようなタイプだったという。それが、妊娠したと言って仕事を辞めてからまるで人が変わってしまった。もちろん、本当に妊娠していたのならそれでいいかもしれないが、将には気になることがあるという。

「姉の子どもの父親が誰かわからないんです。姉には今彼氏はいないし、相手を訊いても答えてくれません。一応、半年前まで付き合っていた元彼に訊いてみたんですけど、別れてから一度も会っていないと言っていました。他に思い当たる人はいません。もしかしたら不倫とかしてて相手を言えないのかなって思いもしたけど……妊娠したって言うわりに、病院に行った形跡もなくて」

そこで将は、姉の言葉が嘘であると悟った。いや、萌は嘘を言っているのではなく、妊娠したと思い込んでしまっているのだと。

精神疾患を疑い、将は萌を説得して病院に連れて行った。萌はまったく自覚などしておらず、むしろ必死過ぎる将のほうを心配していたくらいだったが、将が「お腹の子が健康に育つように」と言えば、意見を一転させ付いてきた。結果として、萌に精神疾患の診断はされなかった。「心配しすぎですよ。お姉さんはしっかりしています」と、医者も萌より将を気にしていた。

実際に、萌は妊娠に関すること以外におかしな言動はなく、身の回りのこともすべて怠っていない。友人との連絡は取っており、出かけはしないが、家に訪ねて来た友人とは普通に会っているようだった。

姉は本当に妊娠しているのだろうか。すべての変化は子どものためなのだろうか。おかしいのは自分のほうなのだろうか。けれど、どうしても胸の奥で燻《くすぶ》る不安が消えない。

　目の前で昔と変わらず笑い合える姉が、まるで知らない人間に見えるのだ。

「姉ちゃんが何かに操られているみたいだって思って、それで、オカルトに詳しい四ツ辻先生に相談してみたんです」

　将はそう言い、俯いた。撫子が教え子の背を優しく撫でる。

「そういうわけ。ねえ、ふたりはどう思う？」

　撫子が言う。遊馬は杠葉と目を合わせた。考えていることは同じだろう。この件は、つい先ほど吉良が持ってきた件と繋がっている。萌はおそらく、怪異に寄生されている。

　放っておけば萌には悲惨な死が待っているだろうが、それを将に伝えることはできない。

「萌さんの様子がおかしくなったのはいつ頃ですか？」

　将に向き直り杠葉が問う。

「確か、ちょうど二週間前です」

「二週間……そうですか」

　杠葉は呟き、しばし考えたのち口を開いた。

「実は、他の方からの依頼で、萌さんと同じような状態になっている女性を数名確認しています」

　杠葉の言葉に将は目を見開く。

「数名？　姉以外にもいるってことですか？」

「おそらく関係しているのではないかと。共通しているのは、皆が妊娠したと言っていたこと。僕らはこの現象について、ちょうどこれから調査を始めるところでした」

「じゃ、じゃあやっぱり変なのは僕じゃなくて姉ちゃんのほうなんですか？　どうしたら元に戻りますか？」

「まだ僕らも何もわかりません。これから調べるところですので」

「あ、そうですよね……」

　身を乗り出した将は、杠葉に冷静に返され姿勢を戻した。

　杠葉は話を続ける。

「萌さんがおかしくなったのは二週間前とのことですが、その直前にどこかに行ったり、誰かに会ったり、何か変わった物を購入したなど、普段と違う行動を取られませんでしたか？」

「……わかりません。旅行とかは行ってないはずです。変わった物を買ったって話も聞いてないし、姉の部屋に変な物は増えていなかったと思います」

「そうですか。もし可能なら、萌さん本人に会って話を聞くことはできますか？　できれば近いうちに」

「ええ……今日は僕、これからバイトがあるので、明日でしたら大丈夫です」

「なら遊馬くん、将さんと一緒に萌さんに会いに行ってくれる？　歳の近いきみなら将さんの友達と言って、萌さんに不審がられることなく会えるはずだから」

「あ、はい。わかりました」

遊馬は将に「よろしくお願いします」と頭を下げた。将からも同じように返ってきた。

明日の集合場所と時間を決めたところで将は研究室をあとにする。

撫子が、広くなったソファで残った紅茶を飲んでいた。

「それで？　伊織ちゃんたちは本当はどんな情報を持ってるの？」

ティーカップを置き、撫子が綺麗な二重の目を細める。

「情報を隠したのは彼のためですよ。まさかお姉さんがあと二週間で死ぬ可能性があるなんてとても言えないでしょう」

「死ぬ？　そんなに深刻な怪異だったの？」

「撫子さん、『人間を生み出す怪異』について何かご存じですか？」

　紅葉は怪異に寄生されたと思われる話を撫子に教えた。人が何人も亡くなっている話を、撫子は不謹慎にも目を輝かせながら聞いていた。

　萌が怪異を宿しているなら命が危うい。しかし今なら助けられる可能性はゼロではない。怪異から逃れる方法がもしあれば……それがわかれば萌を救える。

　だが撫子であっても、『人間を生み出す怪異』の話には心当たりがないという。

「人間の体を使って人間の体を作る、かあ。うぅん、覚えがないなあ」

　撫子は唇を尖らせながら首を左右に傾げている。

「それって別に、人間の手足っぽく象っているだけじゃないんだよね？」

「被害者と同じＤＮＡを持ち、生体反応もあるとのことでした。間違いなく本物の人間の手足です」

「そっかあ。ちょっとわかんないなあ。でもこのままだと横峰くんのお姉さんは死んじゃうんだよね？　そしたら横峰くん可哀想だよねえ」

「ええ。しかし、これまで判明している怪異の宿主は全員すでに死んでしまっている中で、萌さんはだけはまだ生きている。これは収穫です。彼女から何か情報を得られるかもしれない」

「そうだね。わたしも資料を探してみるよ」

「お願いします。残された時間は二週間。早く実態を摑まないと手遅れになりますから」

事の重大さは理解しているだろうに、まったく伴っていない満面の笑みで撫子は頷いた。

紅葉は減っていない紅茶をひと口飲んで、遊馬に目を向ける。

「遊馬くんはとりあえず明日、どんな些細なことでもいいから萌さんから情報を探ってきてね」

「了解です。紅葉さんはどうするんですか？」

「御剣くんが吉良さんからのデータを送ってくれるようだから、それを確認しつつ、祖父の資料を漁ってみるよ。あと、可能なら被害者たちの体から出てきたという手足を見てみたいね。保存しているという口振りだったから」

「見られますかね。吉良さんは単独で僕らに相談しに来てるみたいでしたけど」

「さあ。見られなかったら吉良さんに代わりに見に行って貰えばいいだけだよ」

とにかくやれることをやるしかない。だが猶予はない。

遊馬は杠葉に深く頷いた。撫子がまるで他人事みたいににこにことしていたから「女性ばかり狙われているんだから気をつけてくださいよ」と注意したら、やはり他人事のように「はぁい」と可愛らしく返事をされた。

○

ニュースは、朝から連続殺人事件の続報ばかりを流していた。何せ昨日新たな遺体が見つかったのだ。世間は恐怖に怯え、同時に、いまだ犯人を捕まえられていない警察の無能さを叫んでいた。

待ち合わせ場所にしていた駅に向かうと、将が先に着いて待っていた。昨日も挨拶をしたが、今日もお互いに「よろしくお願いします」と言い合い、連れ立って将の姉、萌の住むマンションへと向かった。

萌の家は最寄り駅から歩いて十分ほどの場所にある。オートロック式で間取りは１ＤＫ。就職した三年前からここに住んでいるという。

エントランスに入り、将が集合玄関機で部屋番号を押した。数秒経って『入ってきていいよー』という明るい女性の声が返ってくると共に、内部へ入る自動ドアが開いた。

エレベーターで五階に行き、五〇三号室のドアの前にあるインターフォンを鳴らす。すると、鍵の外れる音がした。ドアが開き、首元がすっきりと見えるショートヘアの快活そうな女性が玄関から顔を出した。

「将、今日来るって言ってなかったじゃん」

「ごめん。こないだ借りたいって言った漫画、貸してもらおうと思って」

「そんなに読みたかったの？　いいよ、入って」

萌が笑いながら言う。将は「うん」と答え、ちらと遊馬に目を遣った。ドアに隠れていた遊馬はひょこりと萌の前に顔を出す。

「どうも、こんにちは。遊馬と言います」

「あれ、こんにちは。何、将の友達？」

「これから遊ぶ約束してて連れてきちゃった。遊馬くんも入れていい？」

「別にいいけど、あんたこれから友達と遊ぶのに漫画持って行くの？」

「あ、えっと、僕んちで遊ぶから」

「そうなんだ。遊馬くんだっけ、狭くてごめんだけど、どうぞ」

萌は訝しむこともなく遊馬を招き入れた。遊馬は「お邪魔します」と呟き、将に続いて家の中に入る。

今の時点で、萌の様子に不審な点はまったくなかった。受け答えもごく普通で、言葉遣いや表情もおかしいと感じることはなく、明るく優しい、弟を大事にしている女性としか思わなかった。

けれど、玄関に入って萌の横を通り過ぎた際、ほのかに怪異の臭いを感じた。萌が怪異に侵されていることは確かであった。

「ふたりともお昼食べた？　せっかくだから何か食べて行ってもいいよ。わたし作るから」

「ああ、じゃあ、お願いしてもいい？」

「うん。遊馬くんはそこの椅子に座って待っててね。将は遊馬くんに飲み物用意してあげて。冷蔵庫にルイボスティー入ってるから」

「あ、お構いなく」

ふるふると手を振る遊馬に将は小さく笑って、キッチンに立つ姉の隣に立った。

遊馬はそろりと近くの椅子に腰かける。ふたりに知られないように、一度深呼吸をする。

本当は、萌から怪異の臭いがしなければいいと思いながらここまで来た。けれど、望んだようにはならなかった。

萌の身には、やはり恐ろしい怪異が潜んでいる。

あと二週間。その間に怪異の対処法を見つけなければ、今遊馬の目の前にいる明るく笑う女性が、あの写真の中の被害者たちのような姿になってしまうのだ。

姉の些細な変化にさえ気づき心配する優しい将は、そうなってしまった萌を見て、何を思うだろう。

この仲のいい姉弟を悲しませたくない。小さくてもいいからヒントを見つけなければ。遊馬は自分で自分に頷く。

「……」

萌がシンクのほうを向いている間に、遊馬はくるりと室内を見渡した。部屋はこのダイニングキッチンと、隣に六畳ほどの寝室がひと部屋。物は多いが散らかってはおらず、すっきりと片付いている。突然訪れてこの様子ならば、普段から掃除や整理整頓を欠かさないのだろう。

家具は基本シンプルで、女性らしい小物類が部屋を飾っていた。ぱっと見て気になる物はない。怪異の臭いも萌本人からしかしていない。

ことりと、テーブルにルイボスティーの入ったグラスが置かれた。将が隣の椅子に座る。萌は家にある食材で手際よく料理を作っていく。

「遊馬さん、どうですか？」

将が小声で訊いてきた。遊馬も声を潜めて返す。

「萌さんは、間違いなく怪異に侵されています」

「わかるんですか？」

「おれ、ちょっと特異な体質がありまして。でも、怪異をどうこうできるわけではないんですが」

「どうしたらいいでしょうか？」

「萌さんから、二週間ちょっと前くらいに、どこかいつもと違う場所に行ったり何か買ったりしてないか訊いてもらえますか？」

「わかりました」

将は神妙な面持ちで答え、席を立った。フライパンで具材を炒めている萌の隣に立つ。

「あのさ、姉ちゃん」

「何？　味見ならさせないよ」

「二週間ちょっと前……会社辞める直前くらいにさ、どこかいつも行かない場所に行ったり、何か買ったりしなかった？」

将の問いに、萌は一旦火を止め、怪訝そうな表情を浮かべる。

「いや、別にないけど……買ったのも、服とか漫画くらいだったし。なんで？」

「あ、えっと……なんとなく」

「何それ、心理テストかなんか？」

萌は笑ってふたたびコンロに火を点けた。電子レンジで温めた冷凍のごはんを、たっぷりとフライパンに入れ馴染ませていく。

「……あの、将くんのお姉さん」

遊馬はそっと声を掛けた。将は振り返ったが、萌は振り返らずフライパンの中身を炒めながら「何ぃ」と返事をした。

「将くんから聞いたんですが、最近妊娠されたとか。おめでとうございます」

遊馬は言う。

すると、萌は両目を見開いて振り向いた。持ったままの木べらからごはん粒が飛び散った。

「そうなの。わたし妊娠したの。今ね、わたしのお腹に大切な大切な赤ちゃんがいるの。わたしのお腹に宿ってくれてとっても嬉しいの。わたしはこの子が産まれてくるまで大事に守り抜くって決めてるの。この子のためならなんでもする。わたしこの子のために、いつでも穏やかでいられるように嫌な会社も辞めたの。外も危ないから無駄に出歩くのもやめたの。わたしのこの家で、この子が産まれるまで、この子を育てて生きていくの。なんて幸せなんだろう。ああ、早く産まれてくれないかな。この子が産まれてくれる日が、待ち遠しくて仕方ないよ」

ひと息でそう語り、頬を赤らめうっとりとしながら、萌は自分の腹部を優しく撫でた。火を点けたままのコンロの上で、フライパンの具材がじゅうじゅうと音を立て続けていた。

遊馬は唖然《あぜん》とした。言葉を継ぐことができなかった。将に目を遣ると、唇を嚙み締めながら姉のことを見つめていた。

異常なのは明らかだった。何も違和感などなく接していたのに、妊娠の話をした途端、萌の表情が突如変わったのだ。恍惚とした萌の両目は、遊馬のことも、将のことも見ていなかった。

怪異に思考を支配されている、と杠葉は言ったが、まさしくそのとおりだ。寄生された女性は、腹の中に潜む異物を何よりも愛し、慈しみ、守り抜くように考え行動させられるのだ。

大切にしてきたその子が産まれるそのときには、惨《むご》い方法で殺されてしまうのに。

「……姉ちゃん、ごはんが焦げてるよ」

将が言うと、萌ははっとして振り返る。

「っげ、本当だ！　ちょっと、もっと早く教えてよ！」

「ちょっとくらい焦げてても平気だよ。ね、遊馬くん」

「は、はい。おこげってむしろ美味しいですしね」

「なんていい子だ……ありがとう。上に載せる卵は上手にふわとろにするからね」

そう言って萌は、先ほどの様子が嘘かのようににかりと爽やかに笑った。

冷蔵庫からケチャップと卵を取り出す萌を横目に、将は遊馬のところへ戻ってくる。将は何も言わなかった。遊馬も口を噤み、手際よくケチャップライスを作る萌の後姿を見ていた。

萌の体には怪異が巣食っている。それがどこで寄生したかわかれば、怪異の正体にも近づけるだろうが、萌自身にそれらしい行動を取った覚えはないようだ。

ならば本人がまったく意識せずに怪異の領域に踏み込んだことがあるのか。それとも、日常生活の中で偶然に怪異を引き寄せてしまったのか。もしくは潜伏期間が想定より長く、もうずっと昔にすでに寄生されていたのか。

「……ん?」

ふと、萌のうなじに小さな痕があるのに気づいた。紫色の痣《あざ》のようだが、虫刺されの痕にも見える。

「ねえ、萌さんのあの首の痕って、前からありました?」

将にこそりと訊くと、将は萌のほうへ目を向け、首を傾げた。

「痕ってどこです? 顔側のですか?」

「いや、うなじの真ん中のところに」

「んん? どこだろ。すみません、目は悪くないんですけど」

将は目を細めて萌のうなじを睨んでいた。将にはあの痕が見えていないらしい。

「……将さん、萌さんに『首の後ろに虫刺されの痕があるけど大丈夫?』って訊いてもらえませんか?」

「え、は、はい、わかりました」

将は困惑しながらも「姉ちゃん」と萌に声をかける。卵を溶きほぐしていた萌が振り返る。

「はいはい、今度は何?」

「あの、首の後ろのとこ、虫に刺された痕があるけど、大丈夫かなって」

「え？　虫刺され？」

萌はボウルを置き、空いた手をうなじに当てた。

「なんか刺されてる？　別に痒《かゆ》くも痛くもないけどな」

「少し前のものみたいですよ。腫れてるんじゃなくて、黒っぽい痕になってます」

遊馬が言うと、萌は「あー」と漏らしながら視線を斜め上に向けた。

「確か先々週くらいかなあ、友達と飲みに行ったあとの帰りに、首の後ろがちくっとしたことがあったんだよね。すぐ友達に見てもらったけど虫はいなかったし、そのときは腫れてもなかったから気のせいかと思ったんだけど。やっぱりあのとき何かに刺されてたのかなあ」

萌はうなじを擦りながら「そういえば」と視線を斜め前に向ける。

「そのとき飲みに行ったバーの店員がすっごい嫌な奴でさあ。将たちと同じくらいの歳の男の子だったんだけど、女は男に寄生して生きていけばいいから楽ですよねとか、今飲んでるのも男から貰った金でしょとか言ってきて。もうムカついてさあ。言い返せば、怒るのは図星だからでしょって返してきて」

思い出して腹が立ってきたのか、萌はむくれ面になる。

「それは、酷いですね。先々週ってことは二週間くらい前ってことですか」

「そうだねえ。もうわたしお酒は一切やめたけど、そうじゃなくてもそのバーには二度と行く気はないよ。お店の雰囲気もオーナーもいい感じだったのに、あいつのせいで台無しだよ」

「あの、そこってなんて名前のお店でした？」

遊馬が訊ねると、萌は眉を顰めた。

「……まさか遊馬くん、その店知ってたりする？」

「いやいや、そうじゃなくて、そんな嫌なバーテンさんなら逆に気になるから、行ってみたいなって思って。ね、将くん」

「うん、確かに。どんな奴か見てみたいかも」

将が空気を読んで同意してくれる。萌は下唇をむっと突き出す。

「なんか冴《さ》えない感じの男の子だったよ。興味持つのは勝手にしたらいいけど、あんたらはあんな他人を見下す発言しちゃ駄目だからね」

はあい、と遊馬は将と揃って返事をした。

萌から教えてもらったバーの名前は、忘れないようスマートフォンにメモしておいた。

オムライスを食べてから将と共にマンションを後にした遊馬は「何かわかればすぐに連絡するから少しだけ時間をください」と伝え、駅で将と別れた。

がらくた堂に戻ると、表の硝子戸は閉まっていた。杠葉は店にはおらず、二階の書斎にこもって調べものをしていた。

「ふむ……」

と、遊馬の話を聞き終えた杠葉は呟いた。

「常人には見えない、虫刺されのような痕か。そこから怪異に寄生されたと見て間違いなさそうだね」

ひとり掛けの革張りの椅子に座り、読みかけの書物を膝に置いたまま、杠葉は頬杖を突いている。遊馬は床に置かれた様々な怪異に関する書物を眺めながら「はい」と答えた。

「それで、一度そのバーに行ってみようと思うんです。虫に刺されたのは店内じゃなくて帰り道だって言ってたから、正直なところバーは関係ないかもしれないんですけど……直前に店員と喧嘩したってのがなんとなく引っかかって、その店員に会ってみたいんですよね。刺された場所の近辺も調べたいですし」

「うん。気になることがあればなんでも確認したほうがいい。でも時間がないから急ぎたい、今夜にでも行ける？」

「もちろんです」

「じゃあそっちはよろしく頼むよ。僕はあと少ししたら出かけなければいけない」

「え」と遊馬は裏返った声を上げた。疑うこともなく、バーには杠葉と共に行くつもりであった。

「出かけるって、どこにです？」

「吉良さんから昨日見つかった遺体の報告が来てね。ついでに四肢を見せてもらえないか頼んだら、手配してくれるってことになって」

「そ、そうなんですか」

　怪異の一部であろう四肢を直接見られるのはありがたい。杠葉にはぜひそちらを優先してほしい。しかし、遊馬はひとりでバーになど行ったことがなかった。ひとりでどころか人生で一度も行ったことがない。いくら仕事のためとは言え、バーという未知の大人の領域にひとりで乗り込むのはあまりに心細い。

「あの、明日、一緒に行くとかじゃ駄目ですかね」

「言ったでしょう、時間がないんだよ」

「ですよね……」

項垂《うなだ》れる。いや大丈夫、自分はもうとっくに酒を飲める年齢だ。年齢確認されても免許証があるから問題ない。そう、バーくらいなんてことない。喫茶店のメニューがコーヒーから酒に変わっただけと思えば平気だ。

「ひとりで行くのが不安なら、撫子さんでも誘ってみたら？」

遊馬の心を読んだ杠葉が言う。遊馬はぶんぶんと首を横に振った。

「そ、それこそ駄目に決まってますよ！　今回の怪異は女性を狙っているんですよ。撫子さんは被害者たちと同年代だし、怪異の対象かもしれないんです。どこで怪異に寄生されるかわからないんだから、危険なことに巻き込めません」

「そう。なら御剣くんとかは？」

「御剣さん……うぅん、そうですね……」

彼にはバーという小洒落た場は似合わないな、と失礼なことを考えてしまったが、御剣でもいてくれたほうが単身乗り込むより百倍は心強い。

ひとりで行く決意をしかけていたのに、三秒悩んだだけで、遊馬は御剣に電話を掛けていた。

「ついでに、吉良さんからの報告を彼がまだ聞いていないようなら伝えて。昨日の被害者のそばには、腰部が落ちていたと」

「腰部？」

電話が繋がる。『はいよぉ』と御剣の声が聞こえる。

「あ、こんにちは。遊馬です」

『お疲れさん。例の件なんかわかったのか？』

「少しだけ。あの、昨日の遺体のことで吉良さんからそちらに連絡入ってます？」

『入ってねえよ。そっちには行ってんのか？　なんでおれに教えてくんねえんだあいつ』

「えっと、昨日の被害者のそばには腰部が落ちていたみたいです」

『腰部？』

と、御剣はつい数秒前の遊馬とまったく同じ反応をした。

「はい。そうらしいです」

『ってことは、残ってんのはおそらく胸部と頭部のふたつか。すでに誰かに寄生してるかもしれねえな』

「そのことなんですけど」

将からの相談と萌のことを話す。うなじに痕があり、そこを何かが刺したと思われる直前に立ち寄っていたバーに、今夜行こうとしていることも。

『虫刺されの痕ねえ』

　御剣が呟く。

『遊馬チャン、昨日おれから送ったデータ見たか？　遺体の写真を他の角度から撮ったもんも入ってんだが』

「いえ……杠葉さんは確認してましたけど、おれはまだ見てないです」

『なら確認してみてくれ。他の遺体にもうなじに痕があるか』

　そう言って、例えば、と御剣は続ける。

『怪異の種が本当に虫みてえな形をしていて、うなじから宿主の体に入り込むと決まっていたのなら。種が対象の人間に張り付いてから実際に体内に侵入するまで時差が発生するはずだ。種がうなじに辿り着くまでの時間が』

「あ、確かに……」

『その萌サンとやらがバーで虫を貰ったとして、刺されたのがその場ではなくしばらく経ってからってのは起こり得る話だと思うぜ』

　確かに、と遊馬はもう一度言った。怪異に触れた瞬間が、怪異に寄生された瞬間とは限らない。

「わかりました。写真を確認してみます」

『おお。こっちでもなんかわかったら連絡するわ。んじゃ』

「はい……って待ってください！　言わなきゃいけないことがあったんだった！」

遊馬は本題を思い出し、慌てて御剣を引き留めた。

『なんだよ』

「御剣さん、よければおれと一緒にバーに行きませんか？」

『おれは洒落た酒は飲まねえ』

じゃあな、という言葉すら言い切る前に御剣は通話を切った。

遊馬はスマートフォンの画面をしばらくぼうっと見つめ、これはひとりで行くしかないと腹を括った。

「どうだって？」

結果などわかっているだろうに、意地悪げな笑みを浮かべ杠葉が訊いてくる。

「……洒落た酒は飲まねえと」

「ふふ。なら遊馬くん、ひとりで頑張っておいで」

「はい……」

遊馬はスマートフォンをしまい、窓際のテーブルに置いてあったタブレットを手に取った。御剣経由で渡された、吉良からの捜査資料のデータを開く。遺体の写真はやはり遊馬には刺激が強かった。なるべく他を見ないように、うなじの見える写真だけを開いて該当の箇所をズームする。

四人全員、どの遺体にもうなじに痕があった。ここが怪異の入り口になっているのは確かなようだ。

遊馬は唇を引き結び、タブレットを置いた。ひとつの可能性に思い至り、ぞっと背筋に悪寒が走った。

いや、バーの店員に会ってみようと思ったときから本当は気づいていたのだ。今回の怪異が、人為的に引き起こされている可能性があることに。

〈御犬の泪〉も人間が関与していたことだが、あれと今回の件では質がまるで違う。すでに五人も死者が出ている。そしておそらく、これからも。

「遊馬くん、気をつけてね」

この人には本当に心の声が聞こえているんじゃないだろうか。遊馬はそう思ってしまう。

「はい」

苦笑しながら頷いた。杠葉はじっと遊馬を見つめたあと、ゆるりと視線を書物に戻した。

紅葉が外出するタイミングで遊馬もがらくた堂を出た。

バーのある渋谷まで移動し、スマートフォンの地図を確認しながら、慣れない都会の街を歩いていた。すると、ふと後ろから肩を叩かれる。振り返ると、撫子がひらひらと手を振っていた。

「撫子さん、なんでここに?」

ゆるくウェーブのかかった髪を下ろし、細身のワンピースに上着を羽織っている。ハイヒールを履いているからか遊馬と身長が変わらなかった。様々な人がいる大都会のど真ん中においても、撫子は美しく、人目を惹く存在であった。

「わたしはさっきまでお友達とお茶してたの。うふふ、怪異好きの子たちとお喋りするのは楽しくてね、いつの間にか夜になっちゃった。遊馬くんは、ひとりで渋谷に遊びに来ることとあるんだねえ」

周囲の羨望に満ちた視線を意にも介さず、撫子は遊馬に微笑みかける。

「いえ、遊びに来たわけじゃなくてですね、これも仕事の一環でして」

「あ、もしかして横峰くんのやつ?」

「ええ、そうですけど」

「お姉さんに会ったんだよね？　どうだった？」

愛らしく小首を傾げて訊ねられ、遊馬は思わず今日のことを話してしまった。話し終えてから、やってしまったと後悔した。撫子は巻き込みたくない。しかし撫子であれば興味を持ってしまうはずだ。

「じゃあわたしも行く」

案の定、撫子は世にも美しい笑顔でそう言った。遊馬は眩しさに目を細めながら必死に両手を振る。

「だ、駄目です。危険ですから撫子さんは連れて行けません」

「さ、一緒に行こうね。お姉さんが美味しいお酒奢《おご》ってあげる」

撫子は遊馬と腕を組む。遊馬は口では「いけません」と言いつつ、撫子の絡む腕を振り解《ほど》けないまま、萌から聞いた店に辿り着いた。

雰囲気のいい洒落たバーだった。さほど広さはなく、カウンターの他にテーブル席が三つある。店員は、口髭を生やした中年のバーテンダーがカウンター内にいるのみだった。萌と喧嘩したのは若い男と言っていたからこの店員ではないだろう。

遊馬と撫子は並んでカウンターに座った。バーで飲むにはやや早い時間だからか、他に客はいなかった。

　バーテンダーに注文を聞かれ、遊馬は焦る。酒など数えるほどしか飲んだことはないし、カクテルの種類ももちろん知らない。

「あの、撫子さん、おれの分も選んでもらえませんか？　おれ、お酒って全然わからなくて」

　こそりと耳打ちすると、撫子はくすりと笑い「いいよぉ」と答える。

「じゃあバーテンさん、わたしにピンクレディを、この子にシンデレラをお願いします」

「かしこまりました」

　バーテンダーは見事な手際でカクテルを作っていく。間もなく、撫子の前に淡いピンクのカクテルが、遊馬の前にオレンジ色のカクテルが置かれた。

「遊馬くんのカクテルデビューにかんぱぁい」

　撫子がグラスを遊馬のほうへ傾けた。遊馬はへらへらと、自分のグラスを撫子のグラスにこつんと当てた。

　フルーツの爽やかな香りがする。

　口を付けると、柑橘系の味わいと、くどくない程よい甘みを感じた。飲みやすいカクテルだ。

「撫子さん、これ美味しいです。おれでも飲めます！」

「うふふ、よかったねえ」

撫子は真っ赤な唇にグラスを付け、ピンク色のカクテルをこくりと飲んだ。絵になる姿だ。自分ももっと、彼女に見合うような品と余裕のあるかっこいい男にならねばと遊馬は思う。

「ねえ、若い店員さんはいなさそうだねえ」

撫子がきょろきょろと辺りを見回した。遊馬ははっとして、飲みかけのグラスをテーブルに置いた。

「あの、バーテンダーさん、ちょっと訊きたいことがあるんですけど」

グラスを拭いていたバーテンダーが「なんでしょう」と振り返る。

「えっと、二週間くらい前に、うちの姉がここの店員さんと口論になったらしくて。お店にも店員さんにも迷惑をかけたみたいだからおれが代わりに謝りに来たんですよ。そのときの店員さんって、今日はいませんかね？」

遊馬はスマートフォンに、将から貰っていた萌の写真を表示させ「これが姉なんですけど」と見せた。バーテンダーは写真を見て、渋い顔をして頷く。

「覚えております。お姉様にはご不快な思いをさせてしまい大変申し訳ございませんでした。お客様が謝られる必要はございません。落ち度はこちらにしかありませんから」

バーテンダーは深く頭を下げ、その店員はもういないと告げた。

「滝澤《たきざわ》くんと言いまして、雇ったばかりのアルバイトでした。私に対しては丁寧な物言いをする子でしたが、たびたびお客様に……主に女性の方に失礼な言動を取っていたので、辞めてもらおうと思っていた矢先のことで。ちょうどあなたのお姉様が来られた日の翌日から、店に来なくなり、連絡が取れなくなりました」

口論になった原因は、萌の言っていたとおり、滝澤が萌たちに対し性差別的な発言をしたからだという。

滝澤はどうにも女性を見下す節があり、他の客や女性バーテンダーにも同じような発言をしたことがあったようだ。ただ、口論にまで至ったのは萌たちが初めてだった。

「連絡が取れないって、電話には出ないんですか？」

「ええ。繋がりはするんですけれど、何度掛けても出ませんでした。彼の自宅の近くに住んでいるスタッフが一度家を訪ねてくれたことがありますが、やはり会えなかったと」

「へえ、そうなんですか……」

遊馬はカクテルをひと口飲む。

萌と口論になった翌日から姿を消した、というのは気になる。無関係というには偶然が過ぎる。もしや滝澤という男が今回の怪異に関係しているのだろうか。

滝澤がこの怪異を引き起こしている張本人なのか？　それとも彼も何かしら怪異に巻き込まれ、身動きが取れないか、すでに死んでいるか。

「きっとその子、女性との接し方が不慣れなんでしょうねえ」

撫子がカクテルよりも甘い声で言う。

「わたしの見ている学生にもね、初心《うぶ》で異性と上手にお話しすることができない子が何人もいますよ。緊張して、同性の子や身近な人たちに接するみたいにできないんですって。ふふ、でもうちの学生たちはみぃんなとってもいい子だから、相手に酷いことなんて絶対に言わないけれどね」

撫子はグラスを空にし「次はブルームーンを」と頼んだ。バーテンダーは材料をシェーカーに入れていく。

「うちの学生ということは、学校の先生をしていらっしゃるんでしょうか？」

出来上がった鮮やかなブルーのカクテルを出しながら、バーテンダーが撫子に訊いた。まるで教師に見えないからだろうか、少し驚いているようでもあった。

「ええ、央山大学で文化人類学を教えているんです」

「おやまあ、大学の先生でしたか。お若いのにご立派ですね」

「うふふ、若いというほどの歳でもありませんけどね」

「そういえば、滝澤くんも央山大学の学生ですよ。確か……工学部の二年生と言っていたかな」

バーテンダーは目線を左に向けながら言う。

「そうですか。なら構内で会っているかもしれませんねえ」

「会うことがあれば、貸しているユニフォームを返してくれと伝えておいてほしいです」

冗談めかしてぼやくバーテンダーに、遊馬は撫子と一緒に笑った。オレンジ色のカクテルをぐっと一気に飲み干した。

○

撫子の調べで、滝澤は間違いなく央山大学の学生であることが判明した。滝澤啓二《けいじ》。工学部の二年に在籍している。浪人と留年をしており年齢は二十二歳。休みがちではあるが、一応この二週間、大学には数度来ているようだった。生きてはいるらしい。

撫子は滝澤の写真も入手していた。年齢よりも幾分か老けて見える、冴えない青年であった。遊馬は滝澤の情報を吉良と御剣に渡し、吉良には滝澤と被害者たちとの間に面識がなかったか調べるよう頼んだ。

一応、バーテンダーに被害者たちの顔写真を見せたが、誰の顔にも憶えはないという。萌以外の被害者はバーに立ち寄っていない可能性が高い。もし滝澤が怪異に関与しているならば、他の場所で、被害者たちとの接点が必ずあるはずだった。

「まだ確証はないが、限りなく怪しいね」

バーに行った翌日、遊馬からの報告を聞いた杠葉は、腕を組みつつそう言った。

相変わらず客の来ないがらくた堂の店内で、遊馬と杠葉はカウンターを挟んで座っていた。カウンターには怪異に関する書物が大量に積まれている。遊馬はそれらの横からひょこりと顔を出し、杠葉を覗き込んだ。

「どうします？　授業にはちょこちょこ出席しているみたいなので、大学に探しに行けば会える可能性はありますけど」

「そうだね。でも央山大学の学生は多いし、僕らで捕まえようとしてもし失敗でもしたら逃げられる。彼のことを調べるのは吉良さんと御剣くんに任せて、僕らはとりあえず怪異の正体と、それを取り除く方法について調べよう」

「了解です。杠葉さんのほうはどうでした？」

杠葉は遊馬がバーに行っている間、吉良と共に、各被害者の体内から出てきた人体の一部を見に行っていたはずだ。

うん、と答え、杠葉はコーヒーをひと口飲む。

「防腐処理などされていないのに、手足はまったく腐っていなかったよ。本当に生きていたんだ」

「……一応人間の肉体なんですよね。それってどういう理屈なんでしょうか」

「僕の考えだと、あれらは最初から繋がっているんだと思う。離れていても、切断されているわけではない。つまり普通の人間の体から切り落とされたものとは違う。

各部位が繋がりひとつの体を成しているんだから、死にようがないんだよ。その証拠に、新しく生み出された腰部と、保管されていた左足を近づけてみたら、なんとまあ見事に切れ目が融合してひとつになったんだ。驚いた」

言葉とは裏腹に淡々と言う。遊馬は想像して身震いしてしまう。

「ひとりの人間を作ろうとしているという考えは合っていたようだ。今後、もし胸部が出現したら、胴が完成し、両腕も付いてしまうだろうね」

「あの、たとえばですけど。今ある部位を燃やしてしまうというのはどうでしょう。体が揃わなかったらどうにもなりませんから、全部消えてなくなってくれるかも」

「可能性はないわけじゃない。ただ何が起こるかわからないから下手なことはできない。むしろ萌さんを危険に晒《さら》しかねないし」

ですよね、と遊馬は力なく呟いた。何もわからなければ、何もできない。

「……残りは御剣さんが言っていたように、胸と頭、ですか」

「おそらくね」

「萌さんはどちらを宿しているんでしょう」

「わからない。ただ、萌さんが何かを生み出してしまう前に止めなければ、萌さんが死に至ることだけは確実だ」

遊馬はこくりと頷いた。

萌に残された時間は少ない。そもそも潜伏期間が本当に一ヶ月かどうかも確証はなく、実際には、いつ腹が裂け死んでしまってもおかしくはないのだ。

その事態を避けるため、少しでも多くできることをしなければ。

遊馬は杠葉の淹れたコーヒーを飲み干し、目の前の本を手に取って開く。

しかし、どれだけ調べても成果はなかった。

人体に関する錬金術や、蘇《よみがえ》りの呪術についても調べてみたが、今回のような現象は記録されていない。

萌が怪異に侵されてから三週間をとうに過ぎていた。怪異については何もわからず、焦りばかりが募っていたが、滝澤についてはいくらか判明したことがあった。

央山大学のみならず、過去のアルバイト先や、出身地である新潟県にまで足を運び、御剣が滝澤の人となりについて調べて来たのだ。

遊馬は滝澤の写真を見て冴えない印象だと思ったが、性格は外見のとおりで、小さい頃から内向的な子だったという。

内気な性格が災いしてか、友達もあまりいなかった。けれどまったくの孤独だったわけでも、周囲から浮く存在だったわけでもなく、幼少期には普通に学校に通い、普通に日々を過ごしていた、ごく普通の少年だったようだ。

ひとつ気になることを挙げるとしたら、女子に対し異様に苦手意識を持っていた、と話を聞いた人間の多くが語っていたことだ。中学校の同級生は、滝澤が女子と話しているところを一度も見たことがないという。

原因は些細なことだった。小学校高学年の頃、クラスを牛耳っていた女子児童に、女子たちよりも足が遅いのを馬鹿にされたことがあった。それを皮切りに、容姿や喋り方、成績から親のことまで笑われるようになったという。弱気な滝澤が言い返せないのをいいことに、クラスの他の女子もそれに乗っかり、滝澤を軽んじた。

間もなく飽きられ、その日々は数日で終わったが、滝澤の心は深く傷つき、異性を恐れるようになった。

中学に上がる頃には女子とは一切かかわらないようにしていたようだ。しかしその姿が異様に映ったらしく、何もしなくても「キモい」と言葉を掛けられた。

女という生き物に対する恐怖は歳を重ねるごとに増していた。それは滝澤の中で徐々に拒否感となり、劣等感となり、やがては滝澤をコンプレックスの塊に変えた。

滝澤はいつからか、女を蔑むようになっていた。

「高校は男子校に通っていたのもあって特筆事項はないが、予備校時代や大学に入ってからの評判は散々だ。男と女に対する態度が違って、男尊女卑の思考を隠そうともしねえ。バーだけじゃなく、他のバイト先でも、大学のゼミでも色々トラブルがあったみてえだぜ」

使い込んだ手帳を捲りながら、御剣はがらくた堂の店内で、滝澤について調べ上げた内容を語った。喉が渇いたのか、コーヒーのおかわりを杠葉に要求したが、杠葉は聞こえていない振りをしていた。

「怪異とのかかわりは？」

杠葉が問うと、御剣は首を横に振る。

「とくになさそうだ。そういう類の言動をしていたという話は出ていないし、滝澤の出身地に伝わる怪異も調べてみたが、似たようなもんは見当たらなかった」

「他の被害者との接点はわからない？」

「結構調べてみたんだが、今んとこそっちの成果はゼロだ。大学も出身も違《ちげ》ぇし、バイト先が被ってたとかでもねえ。まあ、これに関しちゃ禄郎の知らせを待つしかねえな」

御剣はそう言って手帳を閉じた。

もしも、滝澤が怪異と無関係であったとしたら、現時点での怪異に関する情報はゼロになってしまう。

絶対に、滝澤には何かがあると、思ったのだが。

――じりりりりりぃん。

カウンターの黒電話が鳴り響き、遊馬はびくりと肩を揺らした。すぐに受話器を取る。「お電話ありがとうございます」という遊馬の声に被せ、

『被害者のひとりに滝澤と接点がありました』

と吉良の声が響いた。遊馬は咄嗟に杠葉と御剣を見遣る。

「た、滝澤と被害者に接点が見つかったそうです」

「なんだって?」

御剣は遊馬に顔を寄せ、受話器に耳を近づける。

『その声、日架もいるのか?　まあいい。三人目の被害者の友人が、滝澤のことを憶えていたんです。死亡する一ヶ月ほど前に、電車内で滝澤に暴言を吐かれたことがきっかけでトラブルになったそうで』

「トラブル……萌さんと一緒だ」

『接点が判明しているのは現時点ではそれのみですが、滝澤が今回の事件にかかわ

っていると考えて問題ないでしょう。私は部下を連れ、至急滝澤の捜索を開始します』

「でも、あの、警察は滝澤を捕まえられるんですか？」

滝澤は被害者たちを直接手にかけてはいない。人の法では裁けないはずだ。

しかし吉良ははっきりと告げる。

『どんな手を使っても』

電話が切れる。遊馬は受話器を置いた。

「やっぱり滝澤が関係してるんだ。滝澤なら、怪異を消す方法を知っているでしょうか。そもそもどうやってこの怪異の存在を知ったんだろう」

「わかんねえよ。本人は怪異を使ってることを自覚してねえって場合もあるしな。とにもかくにも、他に情報がねえ今、滝澤をとっ捕まえて吐かせるしかねえ。どうする杠葉サン、おれらも警察に手ぇ貸すか？」

遊馬は御剣と共に揃って杠葉を見た。

杠葉は答えず、ただじっと右手の親指を唇に当てていた。

「怪異のことだけれど」

ぽつりと呟く。

「僕は勘違いをしていたかもしれない」

何がだよ、という御剣の問いに、杠葉は姿勢を変えないまま答える。

「各部位が、被害者たちのクローン体であることを不思議に思っていたんだ。ひとりの人間を作ろうとしても、それは身体的特徴の違う七人分の異なるＤＮＡを持った歪な存在になる。それを、人間と言えるんだろうかって。でも、もしも生み出した者の遺伝子を持つことに意味があるとしたら、どうだろう。生み出した者と同じ姿が造り出されることに、意味があるとしたら……」

数秒間沈黙が流れた。

杠葉がゆっくりと顔を上げ、視線を遊馬たちに向ける。

「鵺《ぬえ》という妖怪を知っている？」

遊馬は御剣と目を合わせた。名前だけなら遊馬も知っている。

「顔は猿、胴は狸《たぬき》、手足が虎で尻尾が蛇の合成獣だ。伝説の生き物として平家物語にも登場している。他にも、合成獣の伝承は世界に数多く存在する」

「知ってるよ。それがなんだってんだよ」

「合成獣は様々な動物の体が組み合わさって作られている。今回の件と似ていると思わない？　生み出した母体と同じ形をした部位が作られ、合わさり、ひとつになる。種類の違う部位が、ひとつの生き物になるんだ」

遊馬はぽかりと口を開けた。御剣も、同様の顔をしていた。

そうか、これは、人を作り出す怪異などではなかった。今回はたまたま、すべての部位の親が人間であっただけだったのだ。

「これは、合成獣を生み出す方法だったんだ」

遊馬たちは急いで二階の書斎に上がり、杠葉の祖父の残した資料を読み漁った。人を生み出す怪異でも、人体に関する錬金術でも、蘇りの呪術でもなく、合成獣について書かれた資料を探した。

「あった」

絨毯《じゅうたん》の上が書物にまみれた頃、杠葉が呟いた。

杠葉は他の本を除け、読んでいた書物を置き、遊馬と御剣にも見せる。

西洋の古い魔術書を翻訳したものであった。開いたページには『獣を合成する方法』と記されていた。

まず、合成獣の卵を手に入れる。卵からは一匹の蟲《むし》が生まれ、蟲は孵化《ふか》したと同時に、体を両手足、胴、尾、頭の七つに切り離し、七匹の蟲となる。

それぞれの蟲は、雌の動物の首の後ろから体内に入り込み、胎の中でひと月を過ごす。その間に、寄生した動物と同じ肉を持ち、やがて胎《はら》から外へ出る。各々の動物を模った部位を繋ぎ合わせれば、合成獣が生み出される。

「……間違いないですね、この方法だ」

五人の女性を殺害し、今も萌の命を脅かしているのは、この、合成獣の怪異と、それを実行した滝澤に違いない。

だがこの書物には、すでに寄生した蟲を取り出す方法は記されていない。

「『ただし、頭は必ず最後に生まれるよう寄生させなければならない。それが守れなければ、肉体は繋がらない』、と」

そう書かれてはいるが、これはあくまで合成獣を完成させるための制約だ。これを破ったとしてすでに寄生している部位の生成自体を阻害できる確証はない。そもそも『頭』の蟲がどこにあるかわからないのだ。もう誰かの身に宿っているかもしれない。もしかすると、萌の身に。

「おい、他に書いてある本ねえのかよ」

「さ、探してみます」

遊馬は散らばっている本を手に取る。

「てかよ、今ある手足を燃やしてみるってのはどうだよ」

「御剣さん、おれと同じこと言ってる……無理ですよ、何が起こるかわからないのに危険です」

「でも何もしなくてももうじき確実に死ぬんだろ。だったらやれることやってみるっきゃねえだろうが」

御剣の言うとおりであった。このままでは、萌が悲惨に死ぬのをただ見ているしかなくなる。

「時間はねえぞ！」

御剣が叫んだ。

「滝澤くんを探そう」

杠葉が書物を閉じて立ち上がる。

「彼なら、方法は知らなくても、方法を知るための手がかりを知っているかもしれない。今できることで一番確実なのはそれだ」

「でも、滝澤は今どこに」

「たぶん今日は大学にいるぜ」

御剣が言った。ボディバッグから手帳を取り出してばらららと開いている。

「今日木曜だろ。あいつこの曜日だけは必ず大学で目撃されてんだ。絶対出たい講義があんのか、会いたい誰かがいるのか知らねえが」

「警察も大学には行っているよね」

「だろうな。あいつの行動範囲自体は広くねえ」

　杠葉が頷く。

「僕らも行こう。御剣くん、吉良さんに連絡して、警察が彼を先に捕まえたら僕らに一報くれるよう伝えて。遊馬くんは撫子さんに電話。合成獣のことを調べてもらって」

「は、はい」

「おい、おれも給料貰えんだろうな」

　遊馬たちは急いでボレロに乗り込み、撫子の勤める央山大学へ向かった。

　心臓は、ずっと激しく鳴り響いている。


　工学部と文学部は同じキャンパス内にある。いつも撫子に会いに来ている敷地に入り、遊馬たちは、大勢の学生や教職員の中から滝澤の姿を捜した。

「遊馬くんは一度撫子さんのところに行って」

「わかりました。杠葉さん、気をつけて」

「うん。遊馬くんもね」

やけに落ち着かない胸に時折手を当てながら、撫子の研究室のある棟に足を向ける。

見慣れた道のりの最中、遊馬は喧噪《けんそう》の遠くなった静かな中庭に出た。小走りで進んでいたが、ふと、どこからか懐かしいメロディーが聞こえてきて、思わず足を止めた。『七つの子』だ。誰かが口笛を吹いている。

音に釣られるように振り向くと、ベンチに腰掛ける人がいた。

黒髪に、黒いパーカーを着ている、涼しげな顔立ちの青年だった。

青年はふっとこちらに目を向ける。遊馬はどきりとしたが、今さら目を逸らすことはできない。

青年は遊馬に向かいにこりと笑った。遊馬はとりあえず会釈を返し、止めていた足を進めた。

誰だろうか。ここの学生だろうか。知らない人だけれど、どこかで会ったことがあるような気がする。

「……どこだっけ。なんか、覚えがあるんだよなあ」

独り言を呟きながら、目的の棟まで向かっていた。すると、視界の隅に奇妙な動作をしている人物が映り、そちらに視線を遣った。

その人物は、まるで何かから逃れるようにきょろきょろ辺りを見回し、かと思えば、さっと建物の陰に隠れて、やはり周囲を警戒していた。明らかに挙動不審だ。

「……あれ、滝澤？」

声を上げた。不審者は写真で見たことのある顔だった。

びくりと肩を揺らし、滝澤が振り返る。

「あ、やっぱり、滝澤さんですよね！　ちょっとお話が！」

「し、知らない！　おれは何も知らない！」

滝澤が逃げ出す。遊馬は追いかけながら杠葉に電話を掛ける。

「杠葉さん、滝澤を見つけました！　追いかけてます！」

『今どこにいる？』

「文学部の棟の西側です！」

警察の姿でも見かけて逃げていたのだろうか、滝澤は怯えた様子で呼びかけにも応じず、ひたすら走り続けていた。しかし、滝澤よりも遊馬のほうが随分と足が速かった。

「捕まえた！」

追いついた遊馬は滝澤の腕を摑んだ。滝澤がバランスを崩し転倒する。遊馬も巻き込まれそうになったがどうにか踏ん張り、倒れたまま這いずる滝澤を押さえ込む。

「ちょっと、逃げないでくださいよ」

「ち、違う、おれは何もしてない！」

周囲には数名の学生がいた。皆こちらを見ており、遠くの学生たちも何かあったのかと近寄ってくる。

「滝澤さん、あなたが女性たちに怪異の蟲を寄生させたことはわかっています。教えてください、その蟲を体内から消すにはどうしたらいいんですか」

遊馬は周囲に聞こえないよう小声で滝澤に問いかけた。滝澤は顔を真っ赤にして藻掻き続けている。

「知らない。おれは本当に何も知らないんだ。空き瓶を貰っただけなんだよ」

「空き瓶？」

「これは魔法の瓶だから、もし『こんな奴死ねばいい』って思うような人間がいれば、そいつのそばで瓶の蓋を開けろって言われたんだ。そしたらそいつはおれの願いどおり死ぬからって。瓶を六つ貰っただけなんだ！」

「貰ったって、誰にです？」

そう問いかけたとき、遊馬のスマートフォンが鳴った。撫子からだった。

「もしもし、撫子さん、遊馬です」

滝澤を押さえたまま電話に出ると、今の状況にまったく合わない間延びした声が聞こえてきた。

『遊馬くん、わかったよぉ』

気の抜けそうな声音に反し、撫子は重大な発言をしていた。

「え、わかったって」

『鵺の話を聞いてね、確かにそうだなあって。で、調べ直してみたら、蟲の消し方がわかったの。簡単だよぉ。頭の蟲を潰せばいいだけだって。頭を潰せば他の部位は全部消える。ただし、頭がすでに誰かに寄生していたら、もうどうしようもないけれど』

そのときは仕方ないよねえ、と、撫子は人の命がかかわっているとは思えない調子で呟いた。

頭の蟲を潰す。

それが唯一、萌を、そしてもうひとり生まれるだろう宿主を救う方法になる。

「ちょっと、頭ってどこですか！」

遊馬は滝澤を怒鳴りつけた。滝澤は服に染みるほど汗をびっしょり掻いていた。

『頭ぁ？　わたしは持ってないよ？』

「あ、違います。今のは撫子さんに言ったわけじゃなくて。てかおれ今、央山大学にいまして」

『そうなの？　じゃあわたしの部屋においでよ。お菓子食べさせてあげる』

「いや、それどころじゃなくて、滝澤を捕まえているんですよ！」

遊馬がそう叫んだとき、滝澤が遊馬を振り解いて走り出した。集まった学生たちにぶつかりながら、滝澤はなおも逃げていく。

「あ、待て！」

遊馬も急いで駆け出した。が、滝澤はすぐそばで足を止めていた。

滝澤の前に、杠葉と御剣、そして鬼のような形相の吉良が立ちはだかっていた。

「警察です。少々お話をお聞かせ願いたい」

吉良は警察手帳を見せ、地から這い出たような声で滝澤に語り掛けた。

滝澤は膝を震わせながらずりと一歩後ずさる。

「け、警察がなんだ。警察は、おれを逮捕なんてできないはずだ」

「逮捕されるようなことをしているということでしょうか？」

「ち、違う。だっておれは、誰も殺してない」

「果たしてそうでしょうか」

吉良が一歩踏み出す。美丈夫の冷たい視線は、それを向けられていない遊馬の身さえ凍らせそうなほど恐ろしい。

「あなたは怪異を用い殺人を犯しました。でも人の理の中に怪異など存在しませんから、あなたは自分の罪が裁かれることはないと思ったのでしょう。確かに人の理の中に怪異はいません。我々警察は怪異を認知しないし証明もしない。此度《こたび》の事件に怪異などかかわっていない」

吉良がもう一歩前に出た。

空は、眩しいほどに晴れていた。

「ならば存在するのは、殺人犯のみです」

滝澤は震える足で立っていられず、どさりと尻もちを突いた。すぐさま吉良の指示が出され、警察官たちにより取り押さえられる。滝澤はもう、抵抗することはなかった。

「あの、滝澤に訊きたいことがあるんです！　ちょっと、頭をどこにやったか教えてください！　まさか誰かにもう寄生させてないですよね！」

遊馬は屈強な警察官の肩越しに滝澤を覗いた。

「遊馬くん、どういうこと?」

杠葉が駆け寄ってくる。

「撫子さんが蟲の消し方を調べてくれたんです。残された頭の蟲を潰せば他の蟲も消えるって。でも、頭がもう誰かに寄生していたらどうしようもないと」

「なるほど」

「それで、頭の蟲は今どこにあるんですか!」

遊馬が問うと、滝澤は生気のない瞳を持ち上げた。

「……だから、知らないって言ってる。頭ってなんのことだよ。知らないけど、おれが貰った瓶はもう全部開けたよ。あんたの言う蟲っていうの、たぶん今頃どっかの女にくっついてるんじゃないかなあ」

滝澤がにたりと口だけで笑って歯を見せた。

遊馬は息を呑む。だが、先ほどの滝澤の発言がふっと頭を過《よ》ぎる。

「待って、滝澤さん、さっき貰った瓶は六つって言ってませんでした?」

——瓶を六つ貰っただけなんだ!

確かにそう言った。しかし合成獣を作る蟲は、両手足、胴、尾、頭の七匹。ひとつの瓶に一匹の蟲が入っていたのなら、一匹足りない。

「渡されていなかったんだ、初めから。頭は滝澤に」

遊馬は警察官を押しのけ、滝澤の胸倉を掴み上げる。

「瓶を誰に貰った？　早く言え。どうせおまえにはもう何もできないんだ！」

しかし滝澤の目はもう遊馬には向かなかった。濁った瞳は、ぼんやりとどこでもない場所を向いている。

「彼だけだよ。彼だけなんだ」

滝澤がうわごとのように呟く。

「女はクソだ。男も、女に利用されてる馬鹿な奴ばかり。でも彼だけは違う。賢くて、かっこよくて、優しい。彼は僕を認めて、僕の気持ちを誰よりわかってくれるんだ。それに僕に、とても素敵なプレゼントをくれた」

誰に話しているのか、誰にも話していないのか。

滝澤は震えた声で語り続ける。

「最初はなんだこれって思ったよ。でも彼の言ったとおりにしたら、街中でぶつかってきたくせに僕のせいにしたクソな女が、一ヶ月経って、酷い死に方したってニュースで流れたんだ。ああ、本物だったんだよ。彼は僕にがらくたなんて渡さないんだって、嬉しくなって。それからもムカつく女に会うたび使った。彼の言いつけどおり、僕のせいだって知られないように街で偶然会った女にだけ使うようにしてたけど、あんまり腹が立ってバイト先の客に使っちゃって。あのときは焦ったなあ。あれは失敗しちゃった。ああ、彼は失望したかなあ。僕に失望したのかなあ」

滝澤の口から深い溜め息が漏れた。

これは演技などではない。正真正銘、滝澤の心はすでにここにない。

「彼って誰のことだ。頭はそいつが持ってるのか？」

「ごめんね。きみの言いつけを破って。やっぱりいつでもきみが正しいんだ」

「おい、滝澤！」

「ねえ、こんなことになっても、きみはまだ、僕を必要だって言ってくれる？」

そして滝澤は、悍《おぞ》ましく不気味な笑みを湛え、ゆっくりと、その名を呼ぶ。

「桐矢くん」

滝澤が呟いた、その瞬間。

遊馬は滝澤から強烈な怪異の臭いを嗅いだ。

「つぐ……うぅぅう……！」

滝澤が急に喉を掻き毟り始める。顔は見る見る赤黒くなり、口から泡を吹いて白目を剝く。

「おい、おいどうした」

「うぅううっ……！」

「すぐに救急車を呼べ！」

吉良が叫ぶと同時に、滝澤の身からがくりと力が抜けた。吉良がすぐに脈をとる。気を失っただけだという言葉に、周囲は安堵の溜め息を吐く。

「持病があったんだろうか。それとも極度の緊張のせいか」

吉良が呟くのを聞きながら、遊馬はひとり、身を固くしていた。

……今のは病気ではない。呪いだ。滝澤は何者かに呪いをかけられたのだ。

キリヤ。

またこの名だ。犬神のときも、今回も、キリヤが後ろで手を引いていた。

滝澤に呪いをかけたのもこの人物だろう。何者だ。どこに潜んでいる？

このタイミングは意図されていたはずだ。自分の情報が漏れないよう、頭の居場所を知られないよう、今この瞬間に滝澤の口を塞いだのだ。

であればキリヤは近くにいる。どこにいる？　見つけなければ。頭の居場所を聞き出さなければ。萌が死んでしまう。将が、悲しんでしまう。

「あ、こんなところにいたのぉ」

辺りを見回していると、人だかりの中から撫子が手を振っていた。この状況に驚きもせず、長い髪をひとつにまとめた撫子は、ピンヒールの音を響かせて優雅にこちらへ近づいてくる。

「頭見つかった？」

撫子がのんきに問いかけた。杠葉が首を横に振ると、撫子は「そっかぁ」と眉を八の字にした。

「……」

遊馬はじっと撫子を見つめていた。なんだろう。いつもと同じなのに、何か気になる。

何が気になるのだろうか。撫子のことはいつも気になっているが、そうではない。

何が……なんだろう、この嫌な胸騒ぎは。

――ぱりん。

ジーンズのポケットから、硝子が割れるような音を聞いた。

遊馬はふっと目を凝らす。

撫子の左肩に、何かが蠢いている。黄土色をし、角と足が無数に生え、人のような目玉のひとつ付いた、異形の蟲が、撫子のうなじへ向かっている。

「撫子さん！」

遊馬は咄嗟に駆け出した。

うなじに辿り着いた蟲が、円形の口を開け頭をもたげた。

――ぶちゅり。

体液を、飛び散らせ。

蟲は遊馬の手の中で潰れた。右手から順に全身が粟立ち、ぞっと体温が下がった気がした。

手を開かないまま見ると、撫子のうなじは白く、綺麗なままだった。

「どうしたの、遊馬くん」

撫子が首を傾げる。

「……いや、たぶん今、撫子さんに頭の蟲が付いてて」

「ええ？　嘘、わたしに怪異が寄生したの！」

「なんで嬉しそうなんですか……寄生していませんよ。おれが今潰しましたから、もう大丈夫です。ほら」

遊馬は鳥肌が立ったままの右手を開いた。しかし手の中には何もなく、蟲を潰した感触だけが残っていた。

「遊馬くん、大丈夫？」

そばに来た杠葉が覗き込む。

「あ、はい。もう、大丈夫だと思います」

「蟲を潰したの？」

「はい。たぶんあれが、頭の蟲だったんじゃないかな」

「なら、残っている胸部の蟲も」

「消えていると、いいんですけど」

すぐに将に連絡し、萌の様子を確認して貰わなければ。彼女の様子が元に戻っていたらもう心配ないだろう。

遠くから救急車の音が近づいてくる。

遊馬はなんとはなしに、自分たちを取り囲む群衆の一部に目を向ける。

「……」

先ほど見かけた、黒いパーカーを着た黒髪の青年がいた。青年は遊馬を見てふっと微笑むと、人混みの向こうへ姿を消した。

遊馬はゆっくりと目を見開く。そうだ、思い出した。あの人は長野で、遊馬の落とした小袋を拾ってくれた人だ。そして、猿神の見せた夢の中にいた人。大和田たちと共に、犬神を捕まえていた人間だ。

「キリヤ！」

遊馬は叫んだ。しかし青年の姿はもうどこにもなかった。

――またね。

青年が消える瞬間、彼がそう呟いたような気がした。

○

後日、吉良から滝澤の報告を聞かされた。

滝澤は病院に搬送され、無事に目を覚ましたが、キリヤのことどころか、怪異のことも、死んだ女性たちのこともすっかり忘れてしまっていたという。

吉良は意地でも滝澤を逮捕するつもりだったようだが、殺人の証拠がないうえに本人がこの様子では、殺人罪で起訴するのは無理だろうとのことだった。

しかし、その代わりに滝澤は、精神の壊れた人間として、二度と自由に外へ出られない施設に送られることになる。世の中から隔離され、監視され、窓にはすべて格子が付き、行動も制限される生活を送ることになるのだ。

逮捕されていたら死刑になっていたのだろうが、死ぬのと、これからの滝澤の人生と、どちらが苦しいのだろうと遊馬は思う。

人体の各部位は、頭の蟲が潰れたタイミングで炭のように黒く萎《しな》びて、やがて崩れてしまったという。萌も命を落とすことなく元に戻った。将からは、泣いて礼を言われた。本当にありがとうと、もういいよと言ってしまうほど繰り返し何度も言われた。

キリヤのことは……わからない。

彼が何者であるのかも、その目的もわからない。

「そもそも、目的なんてものはないのかもしれない」

日常の戻ったがらくた堂で、杠葉がカウンター内でコーヒーを飲みながら言った。

遊馬は床をモップで磨いていた。

「愉快犯に近いってことですか」

「その可能性もあるってこと。今回の件で言えば、女性を殺す目的にしても、人を作る目的にしても、やり方が緩いんだよね。いつまでに何人を、との約束がなければ、もしかしたら六匹目を使うまでに何年もかかったかもしれないし、下手すると一生使わないって場合もあった」

「確かに。キリヤは滝澤にあの怪異の説明もしてなかったわけですしね」

「だからキリヤは、成功しても失敗してもどちらでもよかったんじゃないかな。撫子さんに放った最後の蟲すら、寄生したら面白いし、遊馬くんが気づいて止めたって構わない、それくらいに考えていたかもしれない」

真実はわからない。それはキリヤ本人にしか知り得ないことだ。

「でも、遊馬くん、よく蟲に気づいたね」

杠葉が言う。遊馬は「ああ」と呟いた。

「あれ、たぶん〈御犬の泪〉のおかげなんですよ。蟲がおれの目に見えたのも、間に合ったのも」

「〈御犬の泪〉？」

「おれ、猿神から本物の〈御犬の泪〉を貰ってたじゃないですか。それを鹿の角と一緒に入れてたんですけど、あのあとに見たらなくなってたんですよね」

撫子に這う蟲を見つける直前、遊馬は何かが割れる音を聞いた。おそらくあのとき〈御犬の泪〉は遊馬に幸運をもたらし、役目を終えたのではないだろうか。

「なるほどね。遊馬くんにとっては犬神の宝玉は益を運ぶものだったわけか」

「今度犬神たちに会うことがあったらお礼を言わないといけませんね」

あれがなかったら、萌も……撫子も死んでいたかもしれないのだ。本当に、幸運だったとしか言いようがない。

「今回の件、将さんからの依頼も、吉良さんからの依頼も成し遂げたけど、でも、この怪異でたくさんの人が亡くなったんですよね」

「そうだね。それは僕らにはどうすることもできなかった。でも萌さんと撫子さんを守れた」

「……はい」

そのことには心底ほっとしている。もしも撫子に蟲が寄生してしまっていたら、自分がどうなっていたか……想像もしたくない。

大切な人を守れた。助けたい人たちを救うこともできた。ほっとしているのは確かだ。けれど、漠然とした不安が消えない。何かが、起きようとしているような気がする。

「起きていないことを心配したって仕方ないよ」

杠葉が言う。遊馬は止めていた手を動かし、黒ずんだ床を磨く。

「杠葉さんって、人の心が読めるんですか？」

「まさか。そんなの読めたら頭がおかしくなる」

「でもおれ、いつも杠葉さんに心の中読まれてるんですけど」

「遊馬くんは全部顔に出てるから。僕が心を読んでるんじゃなくて、きみが勝手に顔で喋ってるんだよ」

「え……」

遊馬は自分の頬に手を寄せた。杠葉が目を細めて笑う。

「そうそう、撫子さんが、また遊馬くんをバーに誘いたいって言ってたよ」

「えっ！　本当ですか！　行きます！　撫子さんが選んでくれたお酒すごく飲みやすかったですし」

「何を飲んだの？」

「シンデレラってお酒です」

「あ、へえ」

「シンデレラなんておれに似合わない気がするけど、撫子さんが選んでくれたし、また同じのを頼もうかなあ」

「うん、そうだね、いいんじゃないかな。酔わないしね」

「そうなんです。全然くらくらしなかったんですよ。おれ案外お酒飲めるタイプなのかも」

「無茶はしないでね」

閑古鳥の鳴いていたがらくた堂に、誰かの足音が聞こえてくる。

遊馬はモップを持ったまま、悩みを抱えた客を出迎える。

杠葉が自慢のタイを締め直し立ち上がった。がらくたの集まる店内に、柔らかなコーヒーの香りが漂っている。

「いらっしゃいませ。ようこそ怪異相談処、がらくた堂へ」

本書は書き下ろしです。

本作品はフィクションです。実在の個人、団体とは一切関係ありません。（編集部）

実業之日本社文庫　最新刊

赤川次郎
七番目の花嫁
ウェディングドレスの発表会場で毒殺事件が発生した。モデルとして会場にいた女子大生探偵・亜由美は、捜査に乗り出す。殺されたのは、思わぬ人物で……。
あ126

荒崎一海
残月無情　闇を斬る　四
「闇」の刺客と戦う剣士鷹森真九郎は偶然深川一の芸者染吉と再会する。数日後、押し込み強盗の犯人らしき影を彼女が目撃し……。大好評長編時代小説第四弾
あ284

伊東潤
オフリミッツ　横浜外事警察
東京五輪を翌年に控えた横浜港で女性の全裸死体が発見された。神奈川県警外事課刑事と米軍基地犯罪捜査官が挑む連続殺人事件の真相は!?（解説・西上心太）
い142

遠藤遼
千年を超えて君を待つ
『源氏物語』を愛する女子大生・弥生の「推し」は、紫式部。ある日目覚めると弥生はなぜか平安時代へ!!憧れの「推し」の親友として、ある大役を担う事に!?
え31

沖田円
怪異相談処　がらくた堂奇譚　2
人心を惑わす怪異の謎に挑む、がらくた堂の杠葉と遊馬。ふたりを待つ新たな異世界とは!?　そして彼らの異能は誰かを救えるか!?　沖田円のキャラ文第2弾!!
お113

梶よう子
商い同心　千客万来事件帖　新装版
正しい値で売らないと悪行になっちまう――物の値段を見張り、店に指導する役回りの〈商い同心〉。値段の裏にある謎と悪事の真相に迫る！（解説・細谷正充）
か72

実業之日本社文庫　最新刊

倉阪鬼一郎
おもいで料理きく屋　大川あかり
おきくと幸太郎の夫婦が営む料理屋「きく屋」。常連の提案で、大切な人との思い出の味を再現した料理を出すことに。それには思いもよらぬ力があり――。
く4 14

知念実希人
幻影の手術室　天久鷹央の事件カルテ　完全版
手術後のオペ室で医師が死亡した。その容疑者は……鴻ノ池!?　部下の窮地に天久鷹央が動き出す。書き下ろし掌編「鴻ノ池の笑顔」収録の完全版。
ち1 202

知念実希人
密室のパラノイア　天久鷹央の推理カルテ　完全版
誰も入れない密室で起きた「溺死」。病院理事長の息子は、なぜ不可解な死を遂げたのか……？　書き下ろし掌編「小鳥遊先生、さようなら」収録の完全版。
ち1 103

葉月奏太
癒しの湯　純情女将のお慰め
雪景色を眺めながら、吾郎は列車に揺られていた。突然、札幌に転勤になったのだ。10年ぶりに訪れた温泉旅館には、あの純情美人女将が…。大人気温泉官能！
は6 16

南　英男
夜の罠　捜査前線
殺したのは俺じゃない！――元マル暴で警視庁捜査一課警部補の有働力哉が目覚めると、隣には女の全裸死体が。殺人容疑者となった有働に罠を掛けた黒幕は!?
み7 32

睦月影郎
美人母娘の蜜室
大学生の文夫に憧れの先輩と懇ろになるチャンスが来た。期待に胸を膨らませ部屋に向かう途中、彼女がその場に立ちすくむ。そこには二人の美女がいて……。
む2 19

実業之日本社文庫 GROW　好評既刊

沖田円
雲雀坂の魔法使い
ある町の片隅、少女のような魔法使いが営む『雲雀坂魔法店』。切実な苦悩や過去を抱えながらそこを訪れる人々との、切なくも心温まる物語は感涙必至!!
お111

沖田円
怪異相談処　がらくた堂奇譚
がらくた堂と呼ばれる古民家で、杠葉は怪異の相談を受け、助手の遊馬とともに調査に乗り出すが…!?　沖田円が紡ぐ、切なくも温かい不思議世界の連作短編!
お112

加藤元
カスタード
街の片隅に佇むお弁当屋。そこを訪れるのは、心の奥底に後悔を抱えた人々。ささやかな「奇跡」が、彼らを心の迷宮から救い…。ラスト、切ない真実に涙!
か101

加藤元
ロータス
霊感の強いタクシー運転手が、乗客を目的地まで運ぶほんの束の間、車内で語る不思議な出来事は少し怖くてどこか切ない。優しく心を癒やす奇跡の物語に涙!
か102

貴嶋啓
後宮の屍姫《しかばねひめ》
謀反の疑いで父が殺され、自らも処刑された不運の姫君。怒れる魂は、幼い少女の遺体に乗り移って蘇り、悪の黒幕を捜すが…。謎解き中華後宮ファンタジー!
き71

汐見夏衛
臆病な僕らは今日も震えながら
生きる希望のない孤独な少女には、繰り返し夢に現れる「ある風景」があった。そこに隠された運命とは!?　汐見夏衛史上、最も切なく温かい「命と再生」の物語!
し81

実業之日本社文庫 お113

怪異相談処《かいいそうだんどころ》　がらくた堂奇譚《どうきたん》　2

2023年12月15日　初版第1刷発行

著　者　沖田円《おきたえん》

発行者　岩野裕一
発行所　株式会社実業之日本社
〒107-0062　東京都港区南青山6-6-22 emergence 2
電話 [編集]03(6809)0473 [販売]03(6809)0495
ホームページ　https://www.j-n.co.jp/
DTP　ラッシュ
印刷所　大日本印刷株式会社
製本所　大日本印刷株式会社

フォーマットデザイン　鈴木正道(Suzuki Design)

ISBN978-4-408-55850-9（第二文芸）